W9-BWI-540

Le sonnet des voyelles

De l'audition colorée à la vision érotique

par Etiemble

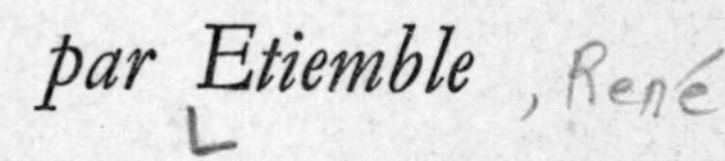

nrf

GALLIMARD

« C'est le jour où le sonnet des Voyelles *ne sera plus pris au sérieux que l'on pourra parler sérieusement de Rimbaud. »*

Henri Cazals, *Combat, 4 décembre 1961.*

AVANT-DIRE

(comme eût dit, à tort, Mallarmé)

En forme d'énigme :

Elle est noire comme cirage
comme un nuage
au ciel d'orage,
et le plumage
du corbeau,
et la lettre A, selon Rimbaud ;

Elle ? qui, elle ? Si vous voulez le savoir, lisez Georges Fourest : *La Négresse blonde.* En livre de poche, ça ne coûte que deux francs.

Nous sommes donc en 1909. Aragon est au lycée. Il a douze ans.

« Vous savez, nous étions en un temps où Rimbaud avait droit dans le livre dans lequel nous préparions le bachot, c'est-à-dire le Lanson, à une note à une note, parce que Verlaine n'intervenait que dans une note et dans cette note il y avait une parenthèse qui se référait au "Sonnet des Voyelles". C'était là tout ce que nous avions, pour être bachelier, à savoir de Rimbaud. »

Aragon, *Entretiens avec Francis Crémieux*, p. 17.

Que les temps, hélas! sont changés! Rimbaud a tous les droits. Sur ces pauvres quatorze vers, sur ces quatorze pauvres vers, sur ces quatorze vers très pauvres, vous n'aurez pourtant droit, vous, qu'à un tout petit livre de deux cent trente-sept pages : « soyons avares comme la mer » ; Rimbaud l'ordonne, qui a toujours raison.

PRÉFACE

1966

CES COLLECTIONS POÉTIQUES

« *A noir, E blanc, I rouge, U vert, O bleu : voyelles*
Je dirai quelque jour vos naissances latentes...

» Oui, nous nous sommes souvenues du célèbre poème de Rimbaud à propos des nouvelles Collections. Jamais, jamais les couturiers n'ont été aussi hardis, aussi ivres de couleurs. Sont-ils peintres ou poètes ? La couleur est devenue leur langage essentiel. »

Voilà comment vaticinait l'éditorial d'*Elle*, le 3 mars 1966, en tête du numéro voué aux collections d'été. Rien d'original, puisque, dès le 4 juillet 1949, *Marie-France* recommandait à ses lectrices de relire *Voyelles*, « le plus célèbre sonnet » de Rimbaud, afin de découvrir elles-mêmes la couleur de leurs initiales, et d'y assortir sur leurs robes les « charmantes broderies » qu'on leur propose. On a beau savoir que l'impudence des marchands n'a plus de bornes; avoir sifflé, dans les cinémas, tel placard publicitaire qui, chargé de vanter un quelconque divan, se référait à Baudelaire, aux « divans profonds comme des tombeaux », ces allusions indiscrètes aux *Voyelles* ont de quoi blesser ceux dont je suis qui, après l'avoir pris au tragique, acceptent encore de prendre au sérieux Rimbaud.

Comme Artaud voulait en finir avec le jugement de Dieu, et si nous en finissions avec ce « fameux », oui, en vérité trop fameux sonnet des *Voyelles?*

Dans sa légende, Rimbaud fut d'emblée (ne fut d'abord que) l'auteur de ces quatorze vers. Dès 1885, Paul Bourde en citait dans *Le Temps* deux vers, pour aussitôt les rapprocher du poème d'Adoré Floupette qui pourrait en fournir l'antidote, ou du moins la caricature :

Ah! verte, verte, combien verte
Était mon âme, ce jour-là!

Dans *La Revue des Deux Mondes* du 1er novembre 1888, Ferdinand Brunetière lui-même jugeait les vers de *Voyelles* « hypnotisés dans la contemplation des vocables ou même des lettres ». Quelques semaines plus tôt, *Le Décadent* avait pastiché l'*Oméga* du sonnet, qui devenait un *Oméga blasphématoire.* La même année, Luque publiait une caricature coloriée où le jeune poète, affublé en bébé, barbouillait au pinceau les lettres d'un alphabet. La même année encore, en Hollande, dans la sérieuse revue *De Gids*, J. N. van Hall se référait à la prétendue « théorie » des voyelles colorées. Un peu plus tard, dans *L'Univers illustré* du 2-8 novembre 1891 : « C'est surtout pour le sonnet des Voyelles que M. Arthur Rimbaud est célèbre », écrivait Anatole

France; Georges Pellissier, l'année suivante : « Tout le monde connaît » le sonnet d'Arthur Rimbaud. « Tout le monde », enchérissait Ernest Gaubert dans le *Mercure de France* du 1er novembre 1904, « même le moins lettré des universitaires... De lointains professeurs le citent à leurs élèves comme un exemple à ne pas suivre; les commis voyageurs le récitent à table d'hôte comme un témoignage de la décadence littéraire de notre pays. » Les jeux sont faits. Pour illustrer en 1892 son article *Rimbaud* de la *Revue encyclopédique*, Charles Maurras reprend la caricature de Luque, qui périodiquement reparaît dans la presse.

Quand on l'a dit « fameux », ce sonnet, il semble que tout soit dit : « Rimbaud... détermine dans un sonnet fameux la couleur des voyelles » (E. Vigié-Lecocq, *La Poésie contemporaine*, 1897); « On connaît le fameux sonnet d'Arthur Rimbaud » (Georges Pellissier, 1901); « Arthur Rimbaud, dont on connaît le fameux sonnet intitulé "Voyelles" » (Marcel Braunschvig, *Le Sentiment du beau et le sentiment poétique*, 1904); « Rimbaud, le poète du fameux sonnet des voyelles » (Léon Losseau, *La Légende de la destruction par Rimbaud de l'édition princeps de "Une Saison en Enfer"*, 1916); « Rimbaud a cru gravement, ne fût-ce qu'un jour, à son fameux *Sonnet des Voyelles* » (Émile Cailliet et Jean-Albert Bédé, *Le Symbolisme et l'âme primitive*, dans la *Revue de littérature comparée*, 1932, p. 377); « le fameux sonnet des voyelles » (Louis Seylaz, *Edgar Poe et les premiers symbolistes français*, Lausanne, 1923); « le fameux sonnet des voyelles » (Jacques Rivière,

Rimbaud, 1930); « His most famous poem is the *Sonnet des Voyelles* » (C. H. C. Wright, *A History of French literature*, New York, 1925); « Rimbaud in un sonetto famoso » (Alfredo Galletti, *Il Novecento*, 1935); « Zoo heft hij, in zijn vermaard Sonnet, gezegt [...] » (A. G. van Hamel, *Fransche Symbolisten, De Gids*, 1902, t. II, p. 450). Ainsi de suite à la nausée, dans les quelques langues que je lis; dans les autres aussi, je gage. Philippe Berthelot lui-même subira la puissance de l'adjectif et célébrera « le fameux sonnet des Voyelles » dans la *Grande Encyclopédie*. Ce « fameux » sonnet, on ne le juge pas moins «curieux» : Vittorio Lugli, parmi cent autres, dans *Enciclopedia italiana di Scienze, Lettere ed Arti*, 1936 : «colorismo del curioso sonetto *Voyelles*».

Fameux, curieux. C'est tout dire, apparemment. C'est aussi, c'est surtout ne rien dire.

Depuis 1888, qui n'a glosé de la façon la plus dérisoire, et toujours avec la bénédiction des augures et l'assentiment des zozos, ces quatorze *curieux* vers ? Plus aberrant le commentaire, plus vaste et plus exaltée l'audience. Terrorisés par les bévues de leurs prédécesseurs, bien des critiques d'aujourd'hui, bien des écrivains célèbrent les contre-sens flagrants, les gloses les plus niaises. Contre ces nouveaux Campistrons qui pullulent sur le cadavre de Rimbaud, et sur les charognes du sonnet, si par malheur vous essayez de défendre le poète, vous voilà bon pour la pire aujourd'hui des injures : *professeur !* (Les plus habiles à la manier étant souvent des enseignants, qui espèrent ainsi se faire pardonner l'infamie de leur métier, et obtenir d'être acceptés par MM. les gens de lettres.)

Enseignez au lycée, à l'École des Hautes études, à celle des Roches, dans la plus minable des boîtes à curés ou à bachot, jamais on ne vous collera l'écriteau insultant. Si vous aimez la poésie, mais enseignez en Faculté, malheur à vous! Je sais : aux dernières nouvelles, il y aurait en France une Faculté d'avant-garde, une seule : Nanterre, parce que Michel Foucault y enseigne. A la bonne heure! Chacun sait qu'il faut être plus bête que de raison, aussi bête que Jean Grenier, Alquié, Belaval, Raymond Aron, cent autres, pour enseigner à la Sorbonne. A propos : j'aimerais savoir comment le même individu, quand il traverse la cour pour aller faire son topo à l'École des Hautes études peut recouvrer en quelques mètres cette intelligence, ce goût, cette audace qui toujours lui font défaut de l'autre côté de l'espace en question. Autant que je sache, une bonne part de ceux qu'on vilipende comme sorbonagres dirigent pourtant des séminaires à la 4e ou la 6e section des Hautes études.

Il est vrai que je n'enseigne ni à l'École des Hautes études, ni à l'Institut catholique. Je deviens donc le prof par excellence, le « cher professeur », le prof en soi : le crétin qui jamais ne comprendra rien à rien; ni surtout au *curieux*, au *fameux* poème de Rimbaud. Ce que je m'efforcerai donc de prouver ci-dessous, ne serait-ce que pour justifier ces infaillibles, ces irréprochables qui prirent un pastiche épais pour une *Chasse spirituelle*, et qui ne m'ont jamais pardonné de s'être fourré le doigt dans l'œil, et même dans l'*oméga de Ses Yeux*, mais qui, échaudés au point de craindre l'eau froide, n'eurent absolument rien à dire, mais rien, lorsque l'érudit

Jules Mouquet découvrit un texte publié par Rimbaud sous le pseudonyme de Jean Marcel : la *Lettre du baron de Petdechèvre à son secrétaire au Château de Saint-Magloire.*

Après *Poètes ou faiseurs?* j'offre donc une seconde preuve insigne de l'abaissement où est tombée la critique universitaire en ce malheureux pays. Assez borné pour n'avoir jamais cru, pas une seconde, que *La Chasse spirituelle* pût être l'œuvre de Rimbaud, je me sais disqualifié pour porter sur la poésie en général, et celle en particulier d'Arthur Rimbaud, le moindre jugement de valeur. Ah! si seulement j'avais célébré en six colonnes les beautés fulgurantes du pastiche d'Akakia-Bataille! Je dirigerais maitenant revues et collections; je trônerais à des jurys; j'aurais pouvoir discrétionnaire pour rayer de la liste des écrivains français ceux qui n'ont pas chanté ma bévue; ceux-là, et par la même généreuse occasion, tous leurs amis.

Hélas! je ne suis qu'un prof, et même qu'un prof de Sorbonne dont l'Institut catholique ne voudrait pas pour un Concile. Alors, je devrais me taire. Je sais.

Si au moins *Voyelles* n'était pas de Rimbaud! Je pourrais me taire en effet et ne pas exposer une fois de plus ma laideur d'âme au jugement ser[e]in de nos plus beaux esprits. Un instant, j'ai cru que je pourrais m'abstenir de ce livre : un érudit berrichon, qui n'a rien à voir avec le Paterne, me fit tenir en 1965 un mémoire intitulé *Sur le sonnet des Voyelles, et que ce sonnet n'est pas de Rimbaud.* Parce que Laurent Tailhade déclarait un jour à Jules Huret qu'il avait essayé « sur l'intelligence complaisante de quelques débutants littéraires la mystification des voyelles colorées, de l'amour thébain, du schopenhauerisme et de quelques autres balivernes lesquelles, depuis, ont fait leur chemin dans le monde », l'érudit berrichon croit pouvoir conclure que Tailhade se dénonce comme l'auteur de la mystification des voyelles colorées, laquelle ne ferait qu'un avec le sonnet des *Voyelles*. Ah! oui, comme j'aimerais (pour Rimbaud surtout) que mon berrichon eût raison, et que *Voyelles*, comme *La Chasse spirituelle*, ne fût qu'un médiocre pastiche. Hélas! non, nous avons le manuscrit autographe rédigé neuf ans avant le premier recueil de Tailhade (ce qui, je veux bien l'admettre, ne prouve rien); mais, surtout, nous avons la *Saison en enfer* : « J'inventai la couleur des voyelles! "A noir, E blanc, I rouge, O bleu, U vert" », ce qui, je crois, prouve quelque chose : que Rimbaud écrivit *Voyelles*. Ou alors il faudrait que la *Saison* elle aussi fût de Tailhade.

Puis donc que *Voyelles* fut composé par Rimbaud (né la même année que Tailhade), finissons-en si possible avec un siècle ou peu s'en faut de balivernes. Puisqu'il est bien du dieu Rimbaud, finissons-en, une très bonne fois, avec ce fameux, trop fameux sonnet des *Voyelles*.

Avant d'entrer dans le lugubre ou le bouffon du sujet, une petite récréation; le texte d'un poème inspiré par celui de Rimbaud. L'alambic de quelle alchimie du verbe y changea le sens de *prunelle*!

PREMIÈRE PETITE RÉCRÉATION

(un peu dévergondée)

DE LA COULEUR DES EAUX-DE-VIE BLANCHES

Figée en cristal dans un verre transparent,
L'essence des fruits morts distillés sur la flamme
Retrouvera pour qui sait évoquer leur âme
Toutes les couleurs d'un arc-en-ciel éclatant.

Du vieux kirsch alsacien, le parfum suffocant
Engorge le palais, du goût âcre du sang.
Entre les alcools de fruit, princesse royale,
La framboise se teint d'une pourpre impériale.

Polymorphes virant en gamme monochrome :
Perdrigon, ou Damas verte, en jaune citron,
Mirabelle, Reine-Claude, Prune à cochon,
En jaune soufre ou d'or, safran, paille ou de chrome.

Verdeur des prés gras, viridité sous la langue,
Le calvados est vert, c'est presque un lieu commun.
Tel un pur diamant arraché de sa gangue,
Gueule d'émeraude et d'or pour le lendemain.

Le long des bois, nous avons cueilli les fruits bleus.
Mûre et sureau, mutés en alcool volatil,
Chanteront l'azur du ciel. Mirage subtil,
O prunelle, rayon violet de Ses Yeux.

Alain Toulmonde,
Bouilleur de cru.
Noël 56 — Noël 61.

Chapitre premier

LA VISION ÉROTIQUE

« *A la coupe, le vagin clos a la forme d'un H, entre l'O de l'urètre et l'I du canal anal.* »

Dr Gérard Zwang,

Le Sexe de la femme.

Noir sur blanc, bonne pour *Noir et Blanc*, telle qu'à beau scandale nous l'imposa l'auteur, voici la dernière interprétation de *Voyelles*, pardon de : *Vois-elles* :

« A noir, E blanc, I rouge, U vert, O bleu : voyelles,
Je dirai un jour votre secret :
∀ *sexe*, noir corset velu aux intimités malodorantes et sanglantes,
— noires mouches velues qui assiègent les charognes, après leur vol vrombissant,
— golfe d'ombre;
ω, *seins* blancs et vaporeux qui se gonflent lentement, puis s'élancent fièrement, enfin trônent majestueusement et dont frissonnent, d'orgueil et de plaisir, les mamelons;
⊢⊣, *lèvres* pourpres, gonflées de sang, riantes, belles, mais aussi déformées, comme dans la colère, par la convulsion amoureuse;
∩, longues boucles de la frémissante *chevelure* dénouée,

verte comme une mer d'où surgiraient des divinités glauques, verte comme l'herbe; pâturages parsemés de poux; rides sales et verdâtres de ce front doux et appliqué comme celui des alchimistes poussiéreux, en attente de l'ultime transmutation.

O, *œil* bleu. Moment ultime accompagné des cris inarticulés que l'on sait. Silence subit, comme lorsqu'un ange passe : septième ciel.

— Œil exorbité qui s'irradie et s'irise dans l'extase! »

La voilà donc cette « traduction », cette « lecture », la seule digne de Rimbaud, et qui fit en 1962 délirer la France entière! A quel degré de niaiserie sommes-nous parvenus qu'un tel ramas de contresens ait agité la presse, l'université, quelques illustres écrivains!

Écoutez l'histoire :

Sitôt publié, en 1962, un numéro double et spécial de *Bizarre* (nos 21-22) intitulé *A-t-on LU Rimbaud?* signé R.F. (parce que l'auteur, « professeur dans un lycée de province, a préféré garder l'anonymat pour le moment »), ce fut chez les échotiers la fête. Dès le 16 décembre, *France-Soir* révélait le nom du héros : M. Robert Faurisson, d'autant moins malaisé à identifier qu'il signait volontiers de son nom les exemplaires destinés au service de presse (le mien, par exemple). Du jour au lendemain, M. R.F. devenait quelque chose comme Mme B.B. : une vedette. Il avait très bien joué son rôle : commencé par condamner « ces résurgences du Moyen Age des docteurs scolastiques » qu'on trouve « partout dans les écrits de R. Etiemble ». Comme *captatio benevolentiae* (ainsi parlent les professeurs comme M. R.F.) on ne fait pas mieux aujourd'hui. De plus, au mépris du *suspense* devenu indispensable à ses compatriotes, M. R.F., dès la quatrième page de son mémoire, livrait tout nu son cher secret : « Plutôt que de chercher à résoudre l'énigme de "Voyelles" par ce que Rimbaud ne pouvait connaître : la métaphysique (et la plus haute!), il conviendrait de voir si le mystère ne pourrait s'expliquer par des préoccupations d'un tout autre ordre et qui ont l'avantage d'être certaines chez un garçon de cet âge : l'*érotisme cérébral* par exemple. »

De même que le *Quatrain* cache un blason du corps féminin, ce que tout le monde savait depuis toujours, *Voyelles* décrirait « de bas en haut ce que le quatrain évoque dans le sens inverse ». Ces deux blasons se présenteraient alors comme deux *variations* sur le thème du corps de la femme.

« Les formes des voyelles suggèrent les formes de la Femme. » Coup de génie, « l'évocation se ferait "in coïtu", du "point de départ" à "l'extase", du commencement à la "pointe" du sonnet [...] Si bien que *Voyelles* peut se résumer par le schéma suivant :

A renversé ---------- → ∀. Sous l'égide du sexe, le « point de départ ».
E couché ---------- → ω. Sous l'égide des seins, l'épanouissement progressif.
I couché ---------- → ⊢⊣. Sous l'égide des lèvres, le moment d'ivresse.
U renversé ---------- → ∩. Sous l'égide de la chevelure, l'accalmie passagère.
O ---------- → O. Sous l'égide des yeux, l'extase finale. »

Voyelles serait une « mystification érotique [...] tel est le secret que Rimbaud n'a jamais consenti à livrer, en dépit de la promesse du second vers, où on le voit écrire : *Je dirai quelque jour vos naissances latentes.* » De sorte que, pour M. R.F., « s'il n'a pas un sens érotique », ce poème n'a aucun sens. Une fois disposées les voyelles dans quelques-unes des trente-deux positions que lui ont enseigné la rumeur ou les cartes transparentes, Rimbaud leur associe des couleurs correspondantes :

« A est devenu noir, parce qu'il représente le sexe;
E est devenu blanc, parce qu'il représente les seins;
I est devenu rouge, parce qu'il représente les lèvres;
O est devenu bleu, parce qu'il représente les yeux. »

Reste à nous expliquer pourquoi le U, renversé, pour devenir l'image (? ?) de la chevelure, est affecté de la couleur verte. C'est pourtant clair : « Rimbaud, qui avait donc retenu le noir, le blanc, le rouge et le bleu — et qui se réservait peut-être la couleur violette pour la nuance extatique de l'œil bleu, quand vers la fin il s'irise — ne disposait plus pour la chevelure que du jaune et du vert. Le jaune a pu être éliminé pour des raisons faciles à deviner. Le vert a été d'autant plus volontiers retenu que des réminiscences latines lui suggéraient [...] qu'une chevelure peut sembler "viride", spécialement quand elle surgit d'une mer de qui elle emprunte ses reflets. » Bref, « *Voyelles*, tout comme le *Quatrain*, constitue une *Union libre*, au sens où Breton entend ces deux mots, "quand il les donne pour titres [*sic*] à son propre blason de la Femme". »

Comprenez-vous maintenant pourquoi, sitôt annoncé ce numéro de *Bizarre*, ce fut à qui reconnaîtrait en M. R.F. l'homme qui manquait à la France infortunée, celui qui allait enfin lui faire épeler correctement ses voyelles. Dès le 9 novembre 1961,

M. Jean-François Devay, qui exerçait alors la charge de compère à *Paris-Presse*, se réjouit de voir enfin « éclaircie » une « énigme » vieille de quatre-vingt-neuf ans. Un seul point pour lui faible : les cheveux verts, mais l'adjectif nous autorise à rêver d'algues marines. Alors... Deux jours plus tard, le même échotier se félicite de constater que ses lecteurs « se passionnent pour l'énigme », y compris ceux qui d'ordinaire demeurent indifférents aux recherches littéraires (je m'en serais douté!). Le 29 novembre, dans *Arts*, M. Robert Sabatier avoue qu'après un temps d'irritation il a découvert de l'ordre, de l'intelligence, des « interprétations saines et hardies avec mesure, simples aussi, et qui ont ce mérite de nous ouvrir les yeux et, parfois, de nous convaincre ». Le 4 décembre 1961, M. Henri Cazals déclare dans *Combat* que « cette explication devrait marquer le point final d'une polémique vaine ». Le 16 décembre, la belle Anne-Marie de Vilaine publie dans *France-Soir* la lettre qu'un parent d'élève adresse à J.-J. Pauvert : « *Voyelles*, un poème érotique, c'est ignoble! On comprend que l'auteur (un professeur? allons donc!) n'ait osé signer que de ses initiales! Salir, toujours salir! [...] Même si ce que dit cet individu était vrai, votre rôle d'éditeur français, monsieur, aurait été de le taire. » La chroniqueuse en profitait pour redire après Robert Sabatier que R.F. ne signifie pas *République Française*, mais Robert Faurisson, professeur à Vichy dans un lycée de jeunes filles.

L'avant-veille, *L'Express* annonçait qu'un professeur de lycée, qui « préfère garder l'anonymat », propose « une solution (érotique) à une énigme vieille de quatre-vingt-neuf ans : « Voyelles » (ou « Voiselle) sera tout simplement un blason du corps féminin. » Le même jour, *Candide* enchérit : « Le fameux [*fameux*, on le sait maintenant, est de rigueur, de veulerie] le fameux sonnet des *Voyelles* de Rimbaud a-t-il trouvé son interprétation définitive ? Un professeur du lycée de jeunes filles de Vichy, qui tient à garder l'anonymat, nous l'affirme dans un numéro spécial de *Bizarre* (Ed. Pauvert). Le lycéen de Charleville — qui avait alors 17 ans — dévorait tous les livres licencieux de la bibliothèque municipale. Cela lui aurait donné l'idée de composer, avec son *Sonnet des voyelles*, une sorte de blason de la femme, chaque voyelle correspondant à une partie de son corps, l'ensemble du poème exprimant le rythme d'une extase amoureuse. » En janvier 1962, dans *La Nouvelle Revue française*, Jean Guérin accordait à l'événement quelques lignes ingénieusement ambiguës : « Robert Fawrisson [*sic*] pense découvrir dans les "Voyelles" de Rimbaud un blason "in coïtu" du corps de la femme. Sa démonstration est ingénieuse, et tenace. » Le 13 janvier 1962, Robert Kanters y allait au *Figaro littéraire* de tout son bas de page : « travail utile pour sa méthode, et, quant aux résultats, en partie convaincants. » Pour titre : *Rimbaud livré aux professeurs*. Admirez donc une fois de plus l'habileté de M. Faurisson : professeur qui insulte ses collègues, le voilà donc sacré digne de n'être pas enseignant, lui, mais plutôt rangé parmi les hommes de goût, de méthode, et de vérité. M. Faurisson ayant daubé sur ce crétin d'Etiemble, ne pouvait qu'obtenir l'assentiment d'une critique, et d'un critique pour qui Etiemble =

Homais. Tout cela, de très bonne guerre, et pour moi fort réjouissant, me rappelle en effet bien des souvenirs : depuis les faux Rimbaud du *Décadent*, jusqu'à *La Chasse spirituelle*, que de R.F. sont tombés au rebut!

Après la littérature, la critique philosophique s'en mêla : dans *Les Temps modernes*, M. O. Manonni honore d'une chronique entière les élucubrations du professeur honteux. Il ne croit pas « qu'on puisse reprocher à M. Faurisson quelque chose comme d'avoir fait un contresens »; tout au plus, « de ne pas s'être demandé ce que c'est que de faire un sens ». N'est-ce pas trop d'honneur faire à M. R.F. que de se poser à son propos pareilles questions?

Consécration suprême : dès le 28 décembre 1961, *L'Observateur littéraire* enquêtait sur la nouvelle « affaire ». Quatre personnes qu'on avait invitées, donnaient leur avis sur « les thèses de M. Faurisson » (un bien grand mot pour de futiles hypothèses).

Antoine Adam, si souvent avisé, cette fois s'emballe et s'égare : « Sur le sonnet de *Voyelles*, aucun doute, semble-t-il, ne subsiste plus. L'article de *Bizarre* apporte une explication qui s'impose. *Voyelles* est un "blason" comme il y en a tant dans la littérature du Moyen Age et jusqu'au XVIe siècle. Si A est noir, ce n'est pas parce que Rimbaud l'a vu noir, c'est parce que son triangle évoque le sexe de la femme. Et E est blanc, c'est parce que Rimbaud l'écrit comme l'epsilon grec et que cette double courbe fait penser à des seins. » Etc.

André Pieyre de Mandiargues a lu, « avec un intérêt très vif, l'essai de M. R.F. Non pas qu'il me persuade entièrement », précise-t-il, mais c'est l'un des plus « originaux », des plus « aigus » sur le sujet; si elle n'exclut pas « toute référence à un abécédaire », l'interprétation « paraît assez éblouissante ».

André Breton, lui, « approuve [...] dans son ensemble, la thèse de M. R.F., quoiqu'[il] ne puisse toujours le suivre dans le détail de sa démonstration ». Ses objections portent « principalement sur l'interprétation du sonnet *Voyelles* conçu comme blason de la Femme in coïtu »; en dépit des éloges qu'il prodigue à la glose de *Circeto*, dans *Dévotion*, glose pour lui « des plus convaincantes » et qui « commanderait à elle seule la très belle *clé érotique* du poème », Breton sent que la « thèse » de M. R.F. pèche au moins (si elle ne pèche que) par « trop d'ingéniosité ».

Un seul des quatre invités de *L'Observateur littéraire* commit la grossièreté de répondre que « le caractère paranoïaque de ces interprétations [le] dispens[ait], et dispenserait qui que ce soit [...] de perdre son temps à les juger ». Ce goujat, vous l'avez reconnu, c'était moi.

Seul donc à écrire, sinon à penser de la sorte [1], car l'extrême droite faisait écho harmonieux aux éloges prodigués par la gauche à M. R.F. Le jour même où M. Adam confiait à *L'Observateur littéraire* son enthousiasme, M. Robert Poulet célébrait longuement, dans *Rivarol*, « une thèse révolutionnaire », un livre « impressionnant » : *A-t-on LU Rimbaud?*, qui renouvellerait tout un chapitre d'histoire

1. Un des meilleurs poètes de ce temps m'écrivit son assentiment et me remercia de cette intervention; voilà qui me consolerait de tombereaux d'injures.

littéraire. Une thèse, « en un mot comme en cent » qui démontre que *Voyelles* traite un sujet « obscène » : les « cinq parties principales du corps féminin, peint dans le mouvement de l'amour physique ». Selon M. Robert Poulet, voilà qui va « bien embarrasser la *critique de gauche*, dont l'humeur essentiellement conformiste n'admettra pas une thèse aussi révolutionnaire, affectant la nature même d'un de ses dieux ». Car M. R.F. réduit enfin l'œuvre du garnement à ses proportions justes, à des « rêveries », à des « délectations sournoises » de « lycéen vicieux » (ce qui nous rappelle le « potache perverti » d'un autre critique d'extrême droite, Louis Bertrand). Il conclut que « les gardiens du mythe vont regimber, justement, parce que, tout compte fait, cette thèse a bien l'air d'être exacte ».

Ma vie durant, je ne cesserai d'admirer que tout le monde ou peu s'en faut perde la boule dès qu'il s'agit de commenter une virgule d'Arthur Rimbaud. Que M. R.F. la perde, et le prouve, le 11 janvier 1962, à *L'Observateur littéraire*, peu me chaut. Le professeur qu'il est lui aussi, ce qu'on oublie, se dédouane un peu trop facilement en daubant sur la recherche des sources, la biographie, et la bibliographie, ces « mamelles de la paresse universitaire ». Il accuse d' « orthodoxie » tous les sorbonnards parce qu'aux sottises prétentieuses ils préfèrent l'établissement et l'explication des textes. Mais que des lecteurs de *L'Observateur littéraire* abondent le même jour dans le sens de cette paranoïa, voilà de quoi me surprendre. Ils condamnent mon « exécution capitale » de M. R.F., ne voient en moi qu'un « coq qui préfère à la perle son misérable grain de mil »;

ils louent « l'explication savante », la « méthode d'analyse littéraire acharnée, vaste, générale », et me renvoient, coq (ou plutôt chapon) à mon habituel fumier.

N'est-il pas piquant d'entendre M. Poulet soutenir que M. R.F. va mettre au rouet toute la critique de gauche ? Or la gauche, qui lit *L'Observateur*, donnait à corps tristesse dans le blason de la femme *in coïtu*. Dès le 4 janvier 1962, « au nom d'une foule de lecteurs », un M. Aubert Albert, de Meudon, remerciait la rédaction du journal. Pensez donc : elle avait « entr'ouvert les portes du Temple de la poésie ». Ah ! non, la gauche n'est nullement gênée par les thèses de M. R.F. Elle les adopte, les revendique ; et quand elle ose y formuler quelque réserve, c'est discrètement, timidement. Certes M. René Lacôte ne consent pas à réduire tout Rimbaud à quelques images érotiques ; mais, « à n'en pas douter ce sonnet est un blason dont l'érotisme convient fort bien à l'âge et à l'inexpérience impatiente du poète. Explication convaincante, parce qu'elle est, jusqu'ici, la seule qui donne véritablement un sens au poème. Mais cette explication a besoin d'être revue et précisée ».

Si je raisonnais sur le modèle de M. R.F., qui m'empêcherait de l'appeler moi aussi M. République Française, et d'observer alors que son interprétation exprime à point nommé l'idéologie dominante de cette institution : dans un pays qui condamne l'œuvre de chair hors du mariage, mais qui nous assiège de femmes aux trois quarts nues exhibant gaine, soutien-gorge ; dans une société dont les ex-citoyens ne forment plus qu'un magma consommant force femmes à poil qui lui commandent d'acheter cigarettes, eau d'Évian ou machines à laver, dans ces petites villes où Madame Bovary ne sait même plus rêvasser et ne joue plus que le rôle de *La Femme mariée* selon Godard, M. République Française satisfait tous ceux qui ne savent plus aimer, qui ne peuvent plus baiser. Ils sont légion, eux aussi. Mais non, je ne raisonnerai pas sur les consonnes *R.F.* comme fit M. R.F. sur les voyelles, ou *vois-elles* de Rimbaud.

A la vérité, je ne voulais pas discuter avec M. R.F. On ne m'avait pourtant épargné ni les appels du pied, ni les banderilles : cette interprétation va sûrement « faire sursauter les Rimbaldiens, à commencer par René Etiemble, professeur à la Sorbonne, que son collègue vichyssois accuse d'avoir escamoté la difficulté. Une belle querelle littéraire s'annonce » (*Paris-Presse*, 9 novembre 1961); « que pensera M. Etiemble (qu'on attaque beaucoup dans ce livre) ? » (*Arts*, 29 novembre 1961); « En plus des ruses de Zazie, Rimbaud avait le génie de Pascal [...] même M. Etiemble l'a su [...] on s'étonne que M. René Etiemble la repousse [cette thèse] sans examen en parlant de paranoïa » (*Le Figaro littéraire*, 13 janvier 1962); le « vilain pisse-vinaigre » que je suis pissait cette fois jusqu'à la mère du vinaigre. M. Faurisson, lui, voulut déceler dans ma lettre à *L'Observateur* une façon « d'approbation rentrée »; ça, c'était un peu fort, un peu trop habile, même. Je finis donc par céder à ceux qui me représentaient que mon silence confirmerait mon prétendu « désarroi ». Le 3 février 1962, je m'expliquai donc sommairement, sur trois colonnes, dans *Le Monde* ; voici le texte :

« Une fois de plus, il n'est question en France que du fameux, trop fameux sonnet des *Voyelles*. Un numéro spécial d'une revue au titre provocant : *Bizarre* ; un titre agressif : *A-t-on LU Rimbaud?* ; un texte qui, nos mœurs étant ce qu'elles sont, recherche le scandale; un éditeur, J.-J. Pauvert, que ne menace pas le grief de conformisme, en voilà plus qu'il ne faut pour déclencher la mécanique que, depuis le scandale du *Reliquaire* en 1891 jusqu'à celui de *La Chasse spirituelle* en 1949, j'ai vu fonctionner tant de fois. La gloire de mauvais aloi dont bénéficie Arthur Rimbaud tient, pour une part non négligeable que je manifesterai quelque jour, à la périodicité de ces crises. Pour avoir qualifié d'un seul mot, *paranoïaque*, l'explication nouvelle du sonnet litigieux et de trois *Illuminations : H.*, *Bottom*, *Dévotion* [1] je me suis vu, à mon accoutumée, traité de tout, à quoi s'ajouta cette fois plus d'une allusion à mon "désarroi". Si je ne répondais que par un mot, *paranoïa*, c'est que M. Faurisson me réduisait à quia. Eh bien, disons deux mots de l'"affaire".

» Professeur de lycée, à ce qu'il paraît, M. Faurisson se pique de n'avoir rien lu sur Rimbaud. Grand bien lui fasse! En effet, ou bien il n'a pas lu les pages où, dix ans avant lui, je dis comme lui que pour comprendre Rimbaud il ne faut s'attacher ni à la biographie ni à la bibliographie, mais au seul sens des textes, ou bien il les a lues, et pourquoi prétend-il que j'exige sous peine de mort universitaire qu'on explique Rimbaud par la biographie et la bibliographie ? Moi, j'ai lu M. Faurisson, et plutôt

1. Dans *France-Observateur* du 18 décembre 1961.

trois fois qu'une. Voici donc sa thèse : chacune des voyelles symbolise une part du corps féminin considérée *in coïtu*. A, c'est évidemment le triangle renversé du pubis, d'où *A noir*. E, qu'il faut imaginer en écriture manuscrite (ω) et posé horizontalement (ω), ne peut être que deux seins blancs. Couchez la lettre I, la voici lèvres avec leurs commissures : *I rouge*. Mettez à l'envers la lette U (∩) : vous y lisez de toute évidence la chevelure bouclée de la femme dont O évoque invinciblement l'œil bleu qui, à l'instant de la volupté, selon l'expérience de M. Faurisson, vire au violet. Poème de voyeur, *Voyelles* doit donc s'interpréter *Vois-elles*. Blason du corps féminin considéré de bas en haut, *Voyelles* répondrait au *Quatrain*, corps féminin considéré de haut en bas. Les trois *Illuminations* étudiées confirmeraient cette érotomanie laborieuse : *H* trahit l'H(abitude) solitaire ou l'H(omosexualité). Les *grottes arctiques* suggèrent la nature de la femme, *le chaos polaire*, celle de l'homme. Preuve décisive : Léonie Aubois d'Ashby a pour anagramme : *si l'abbé nous y aide, oh !* et Louise Vanaen de Voringhem : *A ma sœur devine-la, sinon H, ou ma v...* (le lecteur complétera, selon sa discrétion).

» En dépit de l'extrême condescendance avec laquelle M. Faurisson traite les sorbonagres dans son factum, me permettra-t-il de lui rappeler que je fus le premier à expliquer *H* par l'érotique et la solitude ? Mais comme je ne suis pas atteint, hélas, de paranoïa pansexualiste, je ne saurais coucher Rimbaud au lit de Procuste d'une interprétation qui, poussée au système et à l'absurde, n'a pas plus de valeur que les trois cents pages que je tiens à la disposition de mon éminent collègue, et qui expliquent *tous* les poèmes de Rimbaud par un démarquage des *Voyages du capitaine Cook.* Quel mépris faut-il de Rimbaud pour refuser de l'interpréter en tenant compte des modes littéraires de son temps et des images dominantes de son œuvre! A défaut des cent pages dont on conviendra peut-être qu'elles seraient nécessaires pour contrebattre mot par mot les cent pages de M. Faurisson, je ne proposerai ici que deux ou trois menues difficultés.

» Pour accepter que les mouches "qui bombinent autour des puanteurs cruelles" désignent la nature de la femme, alors qu'il s'agit évidemment d'une allusion des plus littéraires à la *Charogne* de Baudelaire, le "Vrai Dieu", du Rimbaud adolescent, il faut n'avoir jamais lu celui qui, "quoique plein de sang", n'avait alors, de son aveu, aimé, connu aucune femme. S'il suffit à M. Faurisson de la subtilité que j'ai dite pour voir deux seins dans la lettre E, je n'oublie pas, moi, qu'en couchant sur la ligne un E d'imprimerie (ш), M. Sausy, voilà bientôt trente ans, y voyait non moins lucidement trois *lances de glaciers fiers.* A qui d'autre qu'un paranoïaque fera-t-on croire que *U vert* veut dire "cheveux bleus", et *pâtis semés d'animaux,* "pâturages parsemés de poux"? Comme tous les gens de son temps, Rimbaud, pour évoquer une couleur, se borne à nommer des objets de cette couleur. Je suis sans doute un sorbonagre; mais, entendre dans *le Suprême Clairon plein des strideurs étranges* les cris de la femme avant que ses yeux "exorbités" ne virent au violet, c'est singulièrement oublier ce que M. Faurisson nous dit sagement qu'on ne doit point perdre de vue : la culture classique de Rimbaud, et sa formation religieuse. Le dernier tercet du sonnet évoque tout platement le "silence éternel des espaces infinis" où retentira, au moment de l'oméga, symbole de la mort, la trompette du Jugement dernier; ces espaces où circulent en effet les mondes; où, selon le christianisme, circulent aussi les anges. Rien de commun avec le "septième ciel" des amants.

» Peut-être acceptera-t-on de reconnaître que, si l'auteur du *Blason d'un corps* refuse de voir en *Voyelles*, pardon! en *Vois-elles*, un blason du corps féminin, ce n'est point bégueulerie. C'est aussi et peut-être surtout parce que l'argument des anagrammes, d'où M. Faurisson croit tirer tant d'avantages, nous permet de le confondre. J'ai proposé à mes étudiants de rechercher dans Louise Vanaen de Voringhem des anagrammes qui détruisent l'hypothèse de M. Faurisson. En vingt minutes, ils m'en ont trouvé trois : *Vénus hagarde m'envoie loin; Vénus vienne à moi de l'hogar* (Verlaine espagnolisant son nom, et *hogar*, en espagnol, c'est *maison*); *Va, orgie, sale ennui de mon h. V.* (*h.* pour *hombre*, *V.* pour Verlaine, l'auteur des *Hombres*). Moi, de mon côté, je trouvais celui-ci : *Vae Onan! Singe! Dévore-lui H... m...* (H pour Hortense, au sens que Rimbaud désirait qu'on trouvât à ce prénom féminin). Voilà qui, plusieurs fois, "anéantit cette comédie" que nous joue M. Faurisson, ce polisson.

» La rigueur dont il se pique, si je la connais! Celle même des interprétations paranoïaques-critiques si chères à Salvador Dali, que l'anagramme d'André Breton immortalisa en Avida Dollars. »

Le 10 février, mon éminent collègue me faisait

l'honneur de me répondre dans le même journal et m'écrivait en me donnant du « cher Monsieur » :

« Il me semble qu'on s'explique en général mieux de vive voix que de tout autre façon. Ne croyez-vous pas que, dans le différend littéraire qui nous sépare, un débat contradictoire serait intéressant ? Personnellement je le souhaiterais à la Sorbonne. Puis-je vous demander ce que vous en pensez ? »

Peu de temps après, le 4 mars, je lisais, toujours dans *Le Monde :* « M. Robert Faurisson, professeur de lettres au lycée de jeunes filles de Vichy, et auteur d'une thèse sur les "Voyelles" de Rimbaud que les lecteurs du *Monde* connaissent bien, a été placé sous mandat de dépôt et incarcéré à la maison d'arrêt de Riom... pour offenses au chef de l'État.

» M. Faurisson, qui est âgé de quarante-cinq ans, n'appartient à aucun parti politique. Il passe pour un illuminé et un "violent verbal". C'est au cours d'une conversation qu'il a tenu les propos... colorés qui lui sont reprochés et qu'il a renouvelés au magistrat instructeur qui l'interrogeait sur la signification qu'il accorde aux trois lettres O.A.S. »

Quelques jours plus tard, *France-Soir* divulguait à son tour la nouvelle et qualifiait d'*ultra* le champion de la vision érotique. Dès sa sortie de prison, M. Faurisson m'écrivit derechef pour m'annoncer la bonne nouvelle, m'assurer qu'il « tenait à faire sa conférence à l'amphithéâtre Descartes » ; il souhaitait qu'on annonçât « un débat contradictoire ». En mon absence, on le vit mener grand tapage en Sorbonne, haranguer mes étudiants, exiger de faire son cours dans mon amphi, au point qu'on dut, paraît-il, l'expulser. Le voyeur a souvent besoin d'être vu.

Après avoir répondu dans *L'Observateur* aux réponses de l'enquête que j'ai mentionnée, il avait donc obtenu trois colonnes du *Monde*, le 10 février, pour me réfuter à coups d'autorités de noms propres : Adam, Mandiargues, Breton et Robert Poulet. Comme si ce n'était pas assez, M. R.F. essaya d'obtenir du *Monde*, et sous prétexte qu'on avait coupé quelques lignes de son texte, un second article; on lui réplique le 17 février qu'on n'avait coupé que diverses « allusions personnelles ».

Pour clore cette série rose, *Le Monde* du 24 février publiait enfin la lettre d'un lecteur qui feignait d'adopter le point de vue de M. R.F., mais spirituellement inverti : « La connaissance de la femme par Rimbaud était livresque, dit M. Faurisson, mais importante. Qui nous dit que celle qu'il allait illustrer très peu de temps après avec Verlaine dans un sonnet lui aussi célèbre, il ne l'avait pas acquise au collège ? Cette expérience, à laquelle sa culture classique, et particulièrement socratique, pouvait aussi l'avoir prédisposé, et ainsi prédestiné, pourquoi dans son subconscient ne serait-elle pas passée dans les voyelles ? » L'auteur, qui signe J.-P. Lepetre, propose donc une lecture uraniste du sonnet : « A, qui reste debout », devient un légionnaire « les deux jambes écartées se détachant sur l'horizon ».

E, « c'est la chute des reins, ces "fesses joyeuses" dont parle Verlaine [...]. I rouge, ne le couchez pas, il se dresse dans toute sa virilité... U vert, c'est le casque, en bronze, avec cette belle patine verte, de l'homme vigoureux dont parlait l'historien Eutropius au quatrième siècle. Retournons-le. C'est le couvre-nuque des légionnaires, si semblable à celui de nos brigades spéciales de la police parisienne.

» Quant à l'O bleu, il est évident que c'est la bouche sombre du guerrier, arrondie dans le cri de guerre [...] et si l'O devient Ʊ (l'oméga majuscule) c'est parce qu'au-dessus de la bouche il y a une moustache. »

Le persifleur concluait : « Ce que nous savons de Rimbaud ne cadre pas avec l'explication de M. Faurisson, mais sa théorie est tentante si nous l'insérons avec "la candeur des vapeurs et des tentes" dans les tendances particulières qui étaient alors celles du poète et qui quelques mois après avoir composé son sonnet allaient le conduire à l'aventure de la Belgique. »

Ce blason du corps masculin, aussi plausible et même, ce semble, beaucoup moins tiré par les cheveux que l'U (∩) de M. R.F., il aurait dû mettre les rieurs avec soi, démontrer l'inanité des visions de M. R.F. Hélas, on ne sait plus rire en France. Qu'il arrive à des garnements, et même à des adultes, et même à des hommes de génie, de signifier telle part du corps féminin sous l'apparence d'une lettre de l'alphabet, ce n'est point M. Faurisson qui me l'apprendra. Voyez la *Marthe* de Huysmans : « Le lendemain, au petit jour, le jeune homme la regarda et demeura indécis : elle sommeillait, bouche en *o*, jambes en *i*, torse au vent et gorge au diable! » Lisez maintenant *Un Amant de génie, Victor Hugo*, p. 191 : « Je baise votre belle bouche, vos belles mains, vos beaux pieds et jusqu'à la fameuse lettre de l'alphabet. » Rien là pour moi de neuf, qui tout gosse, au lycée dus répondre à cette question des grands : « Vingt-deux fois zéro ça fait combien ? » La réponse était *y*. Voici du reste la solution graphique, que M. Faurisson aurait pu lire, p. 310 de mon vieux roman *Peaux de couleuvre* :

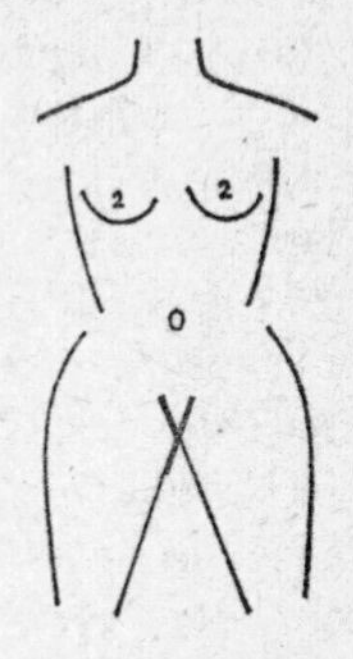

Étant donné que je fus le premier (que je sache) à suggérer que l'illumination intitulé *H* doit avoir un sens érotique, je ne vois pas en quoi l'auteur du *Blason d'un corps* pourrait se détourner avec bégueulerie d'une interprétation sexuelle de *Voyelles*, pourvu qu'on la motivât, et qu'on expliquât ainsi *tous les mots sans exception*, et sans contorsions acrobatiques. Bien que j'aie su très tôt que vingt-deux fois zéro égale *y*, je ne suis pas assez paranoïaque (pas encore, moi que pourtant on qualifiait récemment de tel dans *L'Express*) pour voir partout des cheveux verts et pour discerner sous les pâtis semés d'animaux une chevelure bourrée de poux. M. R.F. ne me persuadera pas sans peine que les *grottes arctiques* de Rimbaud signifient la nature de la Femme, et le *chaos polaire* le sexe de l'homme. Tout le monde n'a pas la chance d'être frigide [1].

Qu'importe à M. R.F. ? Il ne voulait que faire du bruit. Il en fit. Sa réputation se porta jusqu'en Italie, en Pologne, en Union soviétique. Le 5 mars 1962, M. Carmelo Puglionisi lui accordait trois colonnes de *Pomeriggio* : *Le Vocali di Rimbaud*, pour conclure que mon savant collègue n'a fait que se fourvoyer à partir de ses préjugés : « Il Signor R.F. ha fatto come tutti i precedenti critici di Rimbaud, sempre partiti anch'essi da dati preconcetti e finiti, come lui, fuori strada. » Quant à M. Artur Międzyrzecki, c'est quatre colonnes de *Świat* qu'il concède à notre héros, le 4 mars 1962 (pp. 10-11). Lui non plus n'est point dupe de la « méthode » qui consiste à citer hors du contexte (wyrwane *zrestą z kontekstu*) et à remplacer par l'arrogance du ton *(arogancka tonacja)* la justesse de l'esprit (cf. *Awantura z 'samogłoskami')*. Le critique polonais cite à ce sujet un poème fameux de Norwid, texte que j'avais rencontré en étudiant le mythe de Rimbaud dans le monde slave et que j'avais tenté de traduire dans *Le Mythe de Rimbaud en Pologne* :

Je m'initie également à la lecture
Et je sais que l'O est une boule
Ou bien la roue d'une charrette
Que l'A est comme le faîte d'une chaumière
Que l'I a l'air d'un souple brin d'osier
Que l'E ressemble à un vieux brèche-dent

1. J'observe néanmoins que, se référant à l'enquête du *Nouvel Observateur*, il rapporte les adhésions enthousiastes ou nuancées de M. Antoine Adam, d'André Breton et Pieyre de Mandiargues, mais omet la fin de non-recevoir que j'opposais à ce délire érotique.

Que l'U évoque un bœuf cornu
Ou bien, renversé,
L'arceau d'attelage quand la voiture est renversée.

Le plus drôle à mon sens est une remarque de M. Gianni Nicoletti. Cet universitaire italien qui, avec MM. Matucci et Petralia, connaît le mieux Rimbaud dans son pays, publia récemment un gros livre intitulé *Rimbaud, una poesia del "canto chiuso"*, c'est-à-dire *Rimbaud poète du "trobar clus"*. Après avoir analysé les propos de M. Faurisson, M. Nicoletti observe sagacement que le « I peut être par excellence un symbole phallique, sans qu'il soit besoin de le corriger », de le coucher pour en faire des lèvres de femme; que le A, pour la même raison, pourrait fort bien évoquer la station debout, etc... et puis, ô infortuné R.F. qui ne veut pas dire République Française, mais quelque chose plutôt comme O.A.S., voilà M. Nicoletti qui déniche une source possible de Faurisson dans *Peaux de couleuvre*, celle à quoi je faisais allusion tout à l'heure. Là-dessus, il conclut : « Une philologie digne de ce nom aurait dû l'ignorer [la thèse de M. R.F.]. C'est le contraire qui se produisit : un cas de pathologie collective. »

Pathologie collective en effet, M. Faurisson suscita aussitôt un disciple, en Belgique : savant homme au demeurant, mais naïf en littérature, M. Albert Vléminck outra si ingénieusement son maître dans *Analyse de "Bottom" de Rimbaud* (Courrier du Centre international d'études poétiques, nº 48) que l'interprétation de M. Faurisson doit le céder devant une fable, également érotique, mais incompatible avec celle de l'initiateur. Les *Sabines de la banlieue*, qui chez M. Faurisson deviennent des « pierreuses de barrières », se métamorphosent ici en *Juniperus sabina* ou *Juniperus communis de Charleville* abusivement appelé *Sabine* et dont les propriétés abortives sont bien connues ! L'âne de Rimbaud, qui chez Faurisson brandit un puissant viédaze, et « par une espèce de frénésie et d'exhibition au grand air » se revanche d'avoir manqué sa belle en rêve, le voici chez le savant disciple belge qui, bien éloigné de faire allusion à « quelque exhibitionnisme obscène », signifie « l'attitude, parole et geste, de l'avocat développant sa plaidoirie ». De pierreuses, de vieilles putes, les Sabines de banlieue se muent en plantes abortives : « jusqu'à ce que les Sabines de la banlieue vinrent se jeter à mon poitrail », cela veut donc dire, par la vertu érotique de *Voyelles*, « jusqu'à ce que, heurtant au passage des genévriers, des "Sabines", plantes abortives, je compris l'usage qu'on en peut tirer ».

Aux *sabines abortives* de M. Vléminck, disciple trop zélé du polisson Faurisson, je persiste à préférer les seules vraies Sabines, celles de M. Faurisson, et, ma foi, les vôtres, les miennes, celles dont je parlais en 1936 lorsque, dans le *Rimbaud* que j'écrivais avec Yassu Gauclère, nous évoquions l'âne du *Songe d'une nuit d'été*, celui qui devient en rêve l'amant de la reine Titania. Il y a longtemps que j'ai compris ce qu'il y a d'intelligible dans *Bottom*. Après la dame, qu'on ne sait adorer qu'en rêve, on se contente en réalité des pierreuses de barrières, des *Sabines* de la banlieue.

Si j'avais à me consoler, je ferais remarquer qu'après trente ans et plus voici qu'on réimprime ce méprisable *Rimbaud* de 1936, alors que, trois ou quatre ans après l'« affaire Faurisson », qui se soucie encore de ces calembredaines ? Moi ? Il est vrai ; mais attendez la fin. Il l'a voulue, sa réponse, M. R.F. Il l'aura et détaillée, et motivée. Comme je ne suis pourtant pas tout à fait le très vilain méchant homme de ma légende, je m'abstiendrai de publier ici un document gênant pour M. Faurisson : une lettre qui révélerait aux lecteurs de son factum dans quelles circonstances exactes celui qui prétend « sauver Rimbaud de l'Université » fit le possible, l'impossible, et le reste, pour obtenir que ses inepties illustrassent la *Revue d'Histoire littéraire de la France*. Vision érotique ou dépit amoureux [1] ?

1. Au moment où je vais confier ce livre à l'impression, je découvre que M. R.F. n'est peut-être pas tout à fait oublié : un autre ennemi juré des sorbonagres (sans doute parce qu'il suivit mes cours et me soumit force interprétations au moins étranges de Rimbaud) publie un factum polycopié, dont le titre *A-t-on lu Une Saison en enfer?* plagie modestement celui de M. Faurisson. Après Claudel, M. Jacques Dubreuil voit partout du « mysticisme » et force allusions à l'Apocalypse. Nous savons que l'enfant Rimbaud connut la Bible à la tranche vert chou et que ce *sceau de Dieu qui blêmit les fenêtres* vient en effet de cette Apocalypse. C'est l'évidence même. La vision érotique coïncide avec celle du mystique à l'état sauvage. L'anneau, par exemple (Veut-on que je plonge à la recherche de l'anneau ?), est un « symbole vaginal, d'ordre érotique et sensuel »; mais nous ne sommes qu'au premier degré d'une ascension vers quelque « expérience néo-mystique et surréaliste ». Rimbaud part de l'Apocalypse mais pour annoncer dans les *Illuminations*, la fin du monde chrétien. Il se peut que les « professeurs de Sorbonne ne pardonnent pas à Rimbaud la restructuration qui l'amène à vouloir recommencer ses études à partir d'une table rase complète[...] Un marxiste ne peut qu'admirer cette évolution ». Fort bien, que fera donc un sorbonnard marxiste ? J'en connais plus d'un ! Lorsque Rimbaud parle de « jardinet » devra-t-il aussi reconnaître le *sadinet*, sous prétexte qu'au Moyen Age *jardinet* désigne le sexe féminin ? Donc, M. Faurisson a au moins deux disciples : MM. Vléminck et Dubreuil. Dont acte. Le Christ de Montfavet en eut bien davantage.

DEUXIÈME PETITE RÉCRÉATION

(un peu instructive)

Cette vision érotique était obtenue un peu tard, et Rimbaud avait bien caché son jeu de cartes transparentes. Jusqu'en 1961, tout le monde avait lu autrement *Voyelles.* Au fait, qu'est-ce qu'une *voyelle ?* L'enfant Rimbaud qui se rêvait, comme tout jeune sot, le « suprême savant », et qui devint en effet omniscient dans sa fable, ignorait le *b*, *a*, *ba* de l'alphabet français. Il ne semble pas soupçonner un des traits les plus fâcheux de notre idiome : entre nos lettres-voyelles et nos sons-voyelles, aucune convenance.

Comparé aux systèmes vocaliques très pauvres de l'espagnol et de l'italien, notre jeu de sons-voyelles est extrêmement riche :

série antérieure	*série antérieure labialisée*	*série postérieure*
à (p*a*tte)	à (h*â*te)	ã (p*an*)
ẽ (p*ain*)	œ̃ (*un*).	õ (p*on*t)
è (m*e*r)	œ̀ (p*eu*r)	ò (p*o*rt)
e (d*é*lier)	œ (cr*e*ver)	o (p*o*teau)
é (d*é*)	œ́ (p*eu*)	ó (p*eau*)
i (p*i*s)	u (t*u*)	ʋ (b*ou*t)
í (p*ie*)	ú (t*ue*)	ʋ́ (b*oue*)

Selon ce tableau, que j'emprunte au *Précis de grammaire historique*, par Ferdinand Brunot et Charles Bruneau, le français comporte vingt et un sons-voyelles ; dans leur *Grammaire du français classique et moderne*, Wagner et Pinchon distinguent onze voyelles orales et quatre nasales ; quant à Bourciez, il recensait en 1926 dans sa *Phonétique française* onze voyelles principales (qu'il distinguait en *palatales* et *vélaires* d'une part, de l'autre en *ouvertes* ou *fermées*) ; plus quatre voyelles nasales ordinaires ; il ajoutait que « toute voyelle est susceptible d'être nasalisée », ce qui nous donnerait vingt-deux sons-voyelles. Selon la délicatesse de l'oreille, ou l'habileté du classement, disons que les sons-voyelles du français se distribuent ainsi en quinze ou vingt variétés. Notre alphabet, lui, en reste à six lettres-voyelles : A, E, I, O, U, Y, dont deux (I et Y) notent le même son. Bref : cinq lettres utiles pour noter une vingtaine de sons ! D'où l'absurdité graphique de l'*eau* qui se prononce *ó* et s'écrit avec trois autres lettres-voyelles : *a*, *e*, *u* ; d'où l'absurdité graphique du son ã (nasalisé) qui peut se noter, *an*, *en*, *aen* (C*aen*), *aon* (Cr*aon*). Un demi-siècle avant Rimbaud, un homme qui n'a guère laissé de traces, M. Brès, auteur de *Lettres sur l'harmonie du langage*, était tourmenté par les diverses prononciations ou, comme il disait, les divers « accens » de l'E. Voyez lettre XXV, pp. 121-122 : « On pourrait regarder l'*e*, accompagné de ses divers accens, comme formant quatre voyelles plus ou moins sonores », car « *flamme*, *enflammé*, *fête*, *succès*, sont des mots qui présentent l'*e* avec des sons fort différents ». Observant que ces quatre façons de noter la voyelle e [*e*, *é*, *ê*, *è*] sont encore insuffisantes, il approuve le nouvel accent « que l'on appelle *droit* ou *perpendiculaire*, et qui se place sur l'*e*, dont le son est moyen entre l'*e* fermé et l'*e* ouvert; c'est celui que recevront les mots *collège*, *privilège* »; cela ne suffira pourtant pas à « désigner tous les sons de l'*e* ». Voilà un homme qui, pour son temps, avait sur les voyelles des notions autrement réfléchies que celles de Rimbaud cinquante ans plus tard dans son sonnet. Du fait que Rimbaud, de toute évidence, ne pense qu'aux lettres-voyelles (ce que prouve l'usage qu'il fait de Y, dans *Ses Yeux*), son sonnet doit être nul et non avenu. Pour établir une corrélation entre une voyelle et quoi que ce soit, il faudrait en français considérer les sons-voyelles et eux seuls.

Je pourrais en rester là, et refuser d'examiner plus avant un poème qui, à supposer qu'il traite des voyelles, ne saurait être que futile. Mais quoi, on crierait encore à mon *désarroi*. Courage donc, carcasse! Sus au sonnet des *Voyelles!*

Comme nous sommes un abruti de sorbonagre, nous essaierons d'abord de le dater, et d'en établir le texte. J'en demande pardon à nos innombrables génies qui méprisent ces travaux d'ilote.

Chapitre II

LE TEXTE DE « VOYELLES »

La plupart des réputations se fondent sur des méprises. On le voit ici une fois de plus. Ce que d'un écrivain nous préférons, le plus souvent c'est le pire : *Citadelle* émerveille les nigauds, qui ne savent pas ou ne veulent pas savoir qu'il s'agit là d'un amorphe magma que jamais « Saint-Ex » n'eût publié tel quel et qui ne peut que consterner ceux dont je suis qui aimaient l'homme, l'admiraient.

Ainsi pour Rimbaud; sa réputation, sa légende se fondent sur deux poèmes : *Le Bateau ivre* et *Voyelles*, dont l'un au moins, *Voyelles*, ne méritait point cet excès d'enthousiasme. Je donnerais volontiers ces quatorze vers, que nul à peu près n'a compris, pour les quatre de *L'Étoile a pleuré rose* : selon Suzanne Bernard, ce *Quatrain* est un *blason* du corps féminin, où chaque vers, construit toujours de la même façon, met en relief à la césure un adjectif de couleur. Elle ajoute aussitôt : « J'avoue ne pas partager à l'égard de ce poème l'émerveillement de Mme Noulet et d'Etiemble : il vaut surtout par la virtuosité de l'auteur, et par l'utilisation d'un procédé stylistique, qui sera repris par les décadents : *pleurer rose*, *rouler blanc*, l'apposition faisant corps avec le verbe. »

L'étoile a pleuré rose au cœur de tes oreilles,
L'infini roulé blanc de ta nuque à tes reins ;
La mer a perlé rousse à tes mammes vermeilles,
Et l'Homme saigné noir à ton flanc souverain.

Pour certains critiques, en effet, l'intérêt principal de ce poème, c'était sa forme de quatrain : le seul quatrain de Rimbaud, pensez donc! Le seul quatrain de l'unique! Or ce n'est pas même vrai, et la revue *L'Arbalète* révélait en 1942 un second quatrain, celui de l'album qu'on appelle *zutique* : une parodie d'Armand Silvestre, *Lys* (Cf. *Genèse du Mythe*, nº 1318).

O balançoire ! O lys, Clysopompes d'argent !
Dédaigneux des travaux, dédaigneux des famines !
L'aurore vous emplit d'un amour détergent !
Une douceur de ciel beurre vos étamines !

Rien là qui m'enchante; mais l'autre quatrain, celui dont Mme Suzanne Bernard fait si bon marché, oui je l'aime, je l'aime beaucoup. C'est pour moi un des très beaux poèmes de Rimbaud, un des plus accomplis; en outre, un des rares qui soient apaisés; un des rares où la femme ne soit ni ridicule, ni obtuse, ni souillée, comme celle de la *Vénus Anadyomène*,

Belle hideusement d'un ulcère à l'anus.

En 1936, dans le Rimbaud que je publiai avec Yassu Gauclère, je disais, p. 123 (je puis dire *je*, sans imposture, car ces lignes-là justement sont de moi) : « Deux fois seulement, dans le *Quatrain* et dans le sonnet des *Voyelles*, Rimbaud réalise exactement ce qu'il voulait : un poème qui ne soit que poésie, un poème qui ne soit que vision pure. » Trente ans après avoir écrit ces lignes, je les contresigne volontiers, en ce qui du moins concerne le *Quatrain.* Je contresigne également le jugement de Mme Noulet, dans *Le Premier Visage de Rimbaud :* « Ce qui est propre au quatrain, c'est sa composition en carré; c'est son éblouissante énumération de quatre fois quatre mots qui se lisent aussi bien verticalement que par vers, et dont chaque quart représente à la fois un monde et une catégorie du discours, dans une suite doublement parallèle : substance — action — couleurs — lieux sensibles de l'amour. »

L'étoile	a pleuré	rose	au cœur	de tes oreilles,
L'infini	roulé	blanc	de ta nuque	à tes reins;
La mer	a perlé	rousse	à tes mammes	vermeilles
Et l'Homme	saigné	noir	à ton flanc	souverain.

Amateur que je suis de poésie chinoise, comment n'aurais-je pas remarqué la structure de ce quatrain, identique à celle de tant de quatrains chinois, construits sur le principe du parallélisme des fonctions grammaticales, avec autant de mots vivants, aussi peu de mots morts que possible ? Ce qui fait, pour moi, ce quatrain admirable, c'est en effet la densité des mots vivants, la rareté des mots morts : trois articles définis sont escamotés par l'élision *l'étoile, l'infini, l'Homme ;* les adjectifs possessifs : *tes, tes, tes,* puis *ton* deviennent obsédants du fait de leur répétition et, comme diraient aujourd'hui les rédactrices d'*Elle* ou de *Votre beauté,* « personnalisent » le corps en cause; de telle sorte qu'ils sont particulièrement vivants. En fait de mots vraiment morts : quatre prépositions *à* (dont une fondue dans l'article défini *au*) et deux prépositions *de*, autant de monosyllabes. L'accent tonique ajoute encore à la vertu des mots vivants. Quant à l'emploi « adverbial » des adjectifs de couleur : *rose*, *blanc*, *rousse*, *noir*, il est exact que la symbolarderie en abusera. Est-il proprement « adverbial », du reste ? L'emploi de *rousse* au troisième vers prouve que cette forme au moins, Rimbaud l'employait adjectivement. Rien ne nous impose de penser que *rose*, *blanc*, *noir* sont utilisés adverbialement. En revanche, Rimbaud les impose.

Le quatrain doit retenir l'attention de quiconque souhaite comprendre enfin le sonnet des *Voyelles*, dont il se pourrait qu'il soit contemporain. Dans les fac-similés des poèmes de Rimbaud, que publia Messein en 1919, *Voyelles* et le quatrain sont reproduits sur le même feuillet nº 15; un trait les sépare. Comme si, sachant que les deux œuvres étaient à peu près de la même époque, Verlaine avait ainsi tenu à en marquer les affinités. Ce qui invite Mme Noulet à suggérer que « le sonnet, qu'on a pris pour une invention isolée et sur laquelle on a tant et vainement discuté, et le quatrain qui le complète, font partie d'une plus vaste et plus universelle coloration où la couleur est signe de la chose et engendre à elle seule la peine ou la jubilation ». L'emploi des couleurs dans le quatrain ne m'étonne guère, moi; que le creux de l'oreille soit qualifié de *rose* et de *blanc* le corps (en un siècle où les femmes n'avaient pas encore la manie de se desquamer la peau sous le soleil, ou de se barbouiller de ce qu'en franglais de rigueur elles appellent du *sun-tan* ou du *tan-o-tan* — lequel en effet les tanne comme du cuir); que le mamelon soit roux, ce qu'il peut être, et noir à l'occasion le triangle du sexe, je ne vois rien là ni d'original, ni qui mérite qu'on spécule sur une théorie commune des couleurs, dont le quatrain et *Voyelles* seraient deux témoignages à peu près contemporains. La beauté du quatrain naît pour moi du parallélisme achevé, de la densité des mots porteurs de sens, et non point d'une théorie — quelle qu'elle soit — de la couleur.

Cela, quand bien même les deux textes dateraient de la même semaine, de la même journée.

En fait, rien ne nous renseigne sur la relation entre les deux poèmes. Le quatrain ne nous est connu en manuscrit que par une copie de Verlaine, reproduite dans les *Manuscrits des Maîtres.* L'original, s'il existe, demeure caché dans les dossiers d'un collectionneur. A propos, cette histoire des *Manuscrits des Maîtres* nous a montré que Verlaine, malgré sa bonne volonté, n'est pas toujours un intermédiaire parfaitement sûr, ou scrupuleux.

L'aventure advenue au sonnet des *Voyelles* en fait foi.

Quelque légitime que soit notre méfiance à l'égard d'Ernest Delahaye, qui très tôt fit le jeu de l'hagiographie familiale, rien ne nous impose de le suspecter quand il écrit en 1923 que le « fameux sonnet des Voyelles » date « probablement » de la première moitié de 1871. Encore détonne-t-il, ce poème, et plus encore le quatrain, parmi les poèmes qu'on peut dater de ce temps-là : soit parce que Rimbaud lui-même les data, soit parce que Delahaye porte témoignage pour cette date-là : *Les Premières Communions, Les Assis, Le Cœur volé, L'Orgie parisienne, Paris se repeuple, Les Sœurs de Charité, Les Mains de Jeanne-Marie.* Pourtant, ce n'est pas l'analyse graphologique à quoi se réfère M. de Bouillane de Lacoste qui me convaincra de situer ces quatorze vers entre la lettre du 15 mai à Paul Demeny et celle du 12 juillet à Georges Izambard. En effet, le *V* très laid, très biscornu du titre et le *O* non moins disproportionné, non moins compliqué de la voyelle *O* du premier vers sont probablement les vestiges d'une graphie plus ancienne, très « jeune » en vérité. La signature en revanche ressemble à celles d'*Oraison du soir* et de la lettre du 12 juillet 1871, mais il s'agit d'un état définitif dont la date, quelle qu'elle soit, ne nous renseigne pas avec précision sur celle de la composition. La surcharge *bleu* sur un *rouge* qualifiant la voyelle *O*, et le *frissons* barré puis surmonté d'un *candeurs* au cinquième vers, seuls repentirs portés sur cet exemplaire manuscrit, ne sont pas à proprement parler des corrections. Le premier marque l'étourderie du scripteur qui vient pourtant de calligraphier *I rouge ;* quant à *candeurs*, je n'y vois pas non plus une correction, car je ne puis supposer que Rimbaud ait en deux vers écrit « frissons des vapeurs » et « frissons d'ombelles ». Là encore, je ne discerne que négligence de copiste.

En dépit de Bouillane de Lacoste, lequel (dans *Rimbaud et le problème des Illuminations*) estime qu' « il est possible, sinon certain, que notre autographe de *Voyelles* ait été transcrit à une date intermédiaire » entre le 15 mai et le 12 juillet 1871, je ne jurerais pas que cette graphie soit antérieure à la lettre du 12 juillet; elle peut fort bien suivre de quelques jours, voire de quelques semaines ou mois, cette lettre-repère. Rien ne permet donc de fixer à *Voyelles* une date précise. Par le ton, par la qualité, et compte tenu des manuscrits disponibles, je puis assurément grouper *Voyelles*, *Quatrain*, *Oraison du soir* dans une façon de famille à laquelle j'adjoindrais à la rigueur *Ce qu'on dit au poète à propos de fleurs*. Il se peut que ce soient là poèmes postérieurs aux cris véhéments poussés par Rimbaud durant la Commune ou à propos de la semaine sanglante.

Ce sont là autant de poèmes qui présagent ce qu'on appelle en général *les derniers vers*, ceux qui sont datés de mai-août 1872.

Comme les deux lettres se sont perdues ou demeurent cachées qu'en août 1871 Rimbaud envoyait chez l'éditeur Lemerre, et que Verlaine lut fin août, à son retour de vacances, rien ne nous permet d'affirmer que *Voyelles* figurait dans le lot des textes qui séduisirent Verlaine et ses amis, ces poèmes à propos desquels il écrivit à Rimbaud : « Vous êtes prodigieusement armé en guerre. » Mme Noulet a donc raison d'atténuer d'un « probablement », ce qu'elle écrit à ce propos : « De Charleville, au cours de l'été 1871 probablement, Rimbaud envoie le sonnet *Les Voyelles* à Verlaine qui le recopie soigneusement, comme tous les autres poèmes qu'il a reçus du jeune inconnu. » Étant donné que Rimbaud, quand il partit de Charleville au début de septembre 1870, emportait avec soi *Le Bateau ivre*, on peut présumer qu'il emportait aussi *Voyelles*, *Quatrain*, *Oraison du soir*, poèmes du ton bien différent de ceux qu'il avait expédiés par lettres, et dont nous connaissons les titres, grâce à Ernest Delahaye : *Les Effarés*, *Accroupissements*, *Les Douaniers*, *Le Cœur volé*, *Les Assis* (dans la première), *Mes petites amoureuses*, *Les Premières Communions*, *Paris se repeuple* (dans la seconde).

J'incline à penser que *Voyelles* date de l'automne 1871 ou de l'hiver 1871-1872, quand Rimbaud, accueilli à Paris comme « une grande âme », va décevoir les amis de son protecteur [1]. C'était déjà l'avis de Marcel Coulon. Non, je ne serai jamais de ceux qui croient qu'on peut dater à quinze jours près, par la seule graphologie, le manuscrit d'un écrivain, surtout quand il s'agit de comparer la graphie d'une lettre cursive et celle d'un poème calligraphié. Le *b, a, ba* de toute graphologie consiste à faire le départ entre l'écriture spontanée et l'écriture appliquée.

D'après Bouillane de Lacoste, Rimbaud n'aurait pas laissé d'autographes entre la lettre datée du 12 juillet 1871 et ceux qui sont datés de mai 1872. A mon sens, nous en avons peut-être deux : *Oraison du soir* et *Voyelles ;* mais je ne serais pas scandalisé d'apprendre un jour que le « fameux » sonnet remonte à juillet-août 1871. En tout cas, je ne crois pas que ce poème puisse être reporté, comme l'affirme E. Delahaye, aux six premiers mois de cette année-là : le ton est trop différent de tout ce que Rimbaud compose alors.

Quelle que soit la date exacte, ce poème ne paraî-

1. Dans leur avertissement non paginé de l'*Album Rimbaud*, Gallimard, 1967, MM. Pierre Petitfils et Henri Matarasso estiment eux aussi que *Voyelles* ne peut être antérieur à octobre 1871.

tra que douze ans plus tard, dans *Lutèce*, puis dans le volume sur les *Poètes maudits* (1884) :

A noir, E blanc, I rouge, U vert, O bleu, voyelles,
Je dirai quelque jour vos naissances latentes :
A, noir corset velu des mouches éclatantes
Qui bombillent autour des puanteurs cruelles [1],

Golfe d'ombre ; E, candeur des vapeurs et des tentes,
Lances des glaciers fiers, rois blancs, frissons d'ombelles ;
I, pourpres, sang craché, rire des lèvres belles
Dans la colère ou les ivresses pénitentes ;

U, cycles, vibrements divins des mers virides,
Paix des pâtis semés d'animaux, paix des rides
Que l'alchimie imprime aux grands fronts studieux ;

O, suprême Clairon plein de strideurs étranges,
Silences traversés des Mondes et des Anges :
— O l'Oméga ! rayon violet de Ses Yeux !

Texte curieux, car il ne correspond rigoureusement ni au manuscrit autographe dont Bouillane de Lacoste analysa la graphie, et qu'on peut consulter à la Maison de la Poésie :

A noir, E blanc, I rouge, U vert, O bleu : voyelles,
Je dirai quelque jour vos naissances latentes :
A, noir corset velu des mouches éclatantes
Qui bombinent autour des puanteurs cruelles,

Golfes d'ombre ; E, candeurs des vapeurs et des tentes,
Lances des glaciers fiers, rois blancs, frissons d'ombelles ;
I, pourpres, sang craché, rire des lèvres belles
Dans la colère ou les ivresses pénitentes ;

U, cycles, vibrements divins des mers virides,
Paix des pâtis semés d'animaux, paix des rides
Que l'alchimie imprime aux grands fronts studieux ;

1. Le *bombillent* du quatrième vers, qui apparaît dans la plaquette que publie Vanier en 1884, et qui se transmettra longtemps, est une innovation. *Lutèce* donnait *bombinent*.

O, suprême Clairon plein des strideurs étranges,
Silences traversés des Mondes et des Anges :
— O l'Oméga, rayon violet de Ses Yeux !

ni à la version intitulée *Les Voyelles*, recopiée par Verlaine, et reproduite sur le feuillet nº 15 des *Manuscrits des Maîtres* en même temps que le quatrain. Voici cette version [1] :

LES VOYELLES

A, noir; E, blanc; I, rouge; U vert; O, bleu; voyelles,
Je dirai quelque jour vos naissances latentes.
A, noir corset velu des mouches éclatantes
Qui bombinent autour des puanteurs cruelles,

Golfes d'ombre. E, frissons *des vapeurs et des tentes,*
Lances de glaçons *fiers, rais blancs, frissons d'ombelles ;*
I, pourpre, *sang craché, rire des lèvres belles*
Dans la colère ou les ivresses pénitentes.

U, cycles, vibrements divins des mers virides ;
Paix des pâtis semés d'animaux ; paix des rides
Qu'imprima l'alchimie *aux* doux *fronts studieux ;*

O, suprême clairon, *plein* de *strideurs étranges,*
Silences traversés des Mondes et des Anges...
— *O l'Oméga, rayon violet de ses yeux !*

Encore qu'il diffère du manuscrit original par plus d'un détail (*bombillent* au lieu de *bombinent*, *golfe* au lieu de *golfes*, *candeur*, au lieu de *candeurs*, *de strideurs* pour *des strideurs*) le texte de *Voyelles* publié par Verlaine dans *Lutèce* est plus proche de la leçon rédigée par Rimbaud que de la copie due à ce même Verlaine, et publiée en 1919 dans les *Manuscrits des Maîtres.*

1. Je souligne les variantes.

Comment expliquer cette bizarrerie ? La solution la plus satisfaisante, et que j'adoptai en 1939 dans le premier essai que j'écrivis à ce sujet : *Le Sonnet des Voyelles* (*Revue de Littérature comparée*, avril-juin, pp. 235-261), reste donc celle que propose également Bouillane de Lacoste : « Verlaine a eu successivement sous les yeux deux autographes de ce sonnet. Le premier, intitulé : *Les Voyelles*, a été recopié par lui dans son cahier de 1871. L'autographe s'est perdu; la copie nous reste. Le second, intitulé *Voyelles*, donnait un texte amélioré. C'est ce dernier autographe que Rimbaud donna à Blémont; c'est ce texte définitif que Verlaine retint par cœur; c'est celui qu'il reproduit dans ses *Poètes maudits*. Seulement, en 1883, il le citait de mémoire : de là quelques altérations. » La plus voyante est la substitution à *bombinent* de *bombillent*; elle ne surprend guère, étant donné que *bombinent* est un néologisme, aussi bien que *bombillent*. Les singuliers de *golfe*, *candeur*, pour *golfes*, *candeurs*, au pluriel s'expliquent aisément, dans le cas d'un poème appris par cœur : phonétiquement, rien ne distingue *golfe* de *golfes*, ni de *candeurs* *candeur*. La seule divergence intéressante est celle du douzième vers : alors que Rimbaud écrit de sa main :

O, suprême Clairon plein des strideurs étranges

Verlaine imprime en 1884, comme en 1888 dans les *Poètes d'aujourd'hui* :

O, suprême Clairon plein de strideurs étranges

ce qui, reconnaissons-le, pourrait sembler une correction intentionnelle. En rigueur de syntaxe, l'article défini inclus dans le *des* ne se justifie guère. Libre aux thuriféraires irréductibles d'admirer ce *des* et de dénigrer, pour cette raison qu'elle est plus correcte, la version choisie par Verlaine!

Révélé par Verlaine en 1883, voilà donc le sonnet des *Voyelles* qui commence une aventureuse, une fabuleuse carrière.

Qu'en pensait Verlaine, au fait, de ce poème ?

« Son vers (le vers de Rimbaud) solidement campé, use rarement d'artifices. Peu de césures libertines, moins encore de rejets. Le choix des mots est toujours exquis, quelquefois pédant à dessein. La langue est nette et reste claire quand l'idée se fonce ou que le sens s'obscurcit. Rimes très honorables.

» Nous ne saurions mieux justifier ce que nous disons là qu'en vous présentant le sonnet des *Voyelles.* »

Autrement dit, Verlaine apprécie en Rimbaud un bon artisan du vers; il ne parle que de *rimes*, de *rejets*, de *césures*, ainsi que du *choix des mots*. Il voit bien, çà et là, le pédantisme, l'artifice; enfin, il cite *Voyelles* comme un texte où parfois « le sens s'obscurcit ».

Cinq ans plus tard, présentant ce sonnet dans *Les Hommes d'aujourd'hui* (n° 318), avec une caricature devenue depuis lors célèbre, où Luque représente l'enfant Rimbaud barbouillant en couleurs les voyelles d'un alphabet, Verlaine adapte son commentaire : « Quant au sonnet des *Voyelles*, il n'est ici publié ci-dessous qu'à cause de sa juste célébrité et pour l'explication de la caricature. L'intense beauté de ce chef-d'œuvre le dispense, à mes yeux, d'une exactitude théorique dont je pense que l'extrêmement spirituel Rimbaud se fichait sans doute pas mal. Je dis ceci pour René Ghil qui pousse peut-être les choses trop loin quand il s'indigne littéralement contre cet "U vert", où je ne vois, moi public, que les trois superbes vers : "*U, cycles*", etc.

» Ghil, mon cher ami, je suis jusqu'à un certain point votre très grand partisan, mais de grâce, n'allons pas plus vite que les violons, et ne prêtons point à rire aux gens plus qu'il ne nous convient. »

Que s'est-il donc passé pour que Verlaine renonce aux réserves qu'il formulait cinq ans plus tôt et pour qu'il prenne ses distances par rapport à René Ghil et à certaines interprétations déjà *ridicules* de *Voyelles?*

Les textes de Verlaine avaient eu beaucoup de succès. Après avoir fait les belles semaines de *Lutèce*, en 1883, *Les Poètes maudits* avaient paru en volume chez Messein (1884), puis chez Vanier, en 1888, dans une édition nouvelle. Entre-temps, les *Illuminations* avaient causé quelque remous en 1886 dans *La Vogue* (où la *Saison*, oubliée depuis 1873, passera bientôt en livraisons, elle aussi). Rimbaud est devenu la coqueluche des cénacles. On commence à le gloser, à l'annexer. Dès 1882, il devient personnage de roman, et c'est *Dinah Samuel* de Félicien Champsaur; en 1887, peu de temps après les manifestes braillards du symbolisme, Maurice Peyrot cite *Voyelles* dans une étude qu'il publie sur *Symbolistes et décadents* (*Nouvelle Revue*, novembre-décembre) : « Tel fut le premier manifeste de l'école symboliste. » Lancée par Paul Bourde, dans *Le Temps*, le 6 août 1885, l'idée fausse avait séduit. Après avoir cité les deux premiers vers de *Voyelles*, Paul Bourde les rapprochait des vers parodiques de l'auteur des *Déliquescences*, Adoré Floupette :

> *Ah ! verte, verte, combien verte*
> *Était mon âme ce jour-là !*

Voyelles devenait ainsi le manifeste des synesthésies, notion aussi furieusement à la mode en ce temps-là qu'aujourd'hui l'*angoisse existentielle*, ou la *distanciation brechtienne*. En révélant *Voyelles*, le pauvre Lelian ne savait pas à quel destin il allait livrer ces quatorze vers dont, en 1883, il parlait encore si sagement, si modestement.

Comme il avait raison en 1888 de vouloir ramener Ghil au bon sens et de souhaiter qu'on épargnât aux *Voyelles* le ridicule où elles allaient se perdre.

Dès septembre 1888, *Le Décadent* d'Anatole Baju, le même *Décadent* qui avait déjà publié quelques faux poèmes de Rimbaud, y allait d'un *Oméga blasphématoire*, dont le titre fait plus qu'allusion aux infortunées *Voyelles*. Poème sans valeur aucune, fût-elle parodique, cet *Oméga blasphématoire*, où des mots comme *rousseurs* et *hystérie* évoquent *Le Bateau ivre*, sont perdus dans un pédantisme ennuyeux : *Abimélech avec Melchisédech*, *les Myrtes de la Grèce*, *les naos éteints*, et autres calembredaines. Quelques semaines plus tard, le 1er novembre 1888, un homme qui n'était pas un rigolo, ni même un fumiste comme cet Anatole Baju, Ferdinand Brunetière en personne, se croyait contraint de citer le sonnet des *Voyelles* dans la revue la plus bourgeoise du monde, celle des *Deux Mondes*, à propos de symbolistes et de décadents. Les quatrains lui paraissent « hypnotisés dans la contemplation des vocables ou même des lettres ».

Verlaine avait donc raison d'alerter René Ghil, mais c'était trop tard, bien trop tard. Le 1er juillet 1889, *La Plume* publiait un poème de Marc Legrand intitulé *Les Voyelles* [1]. La table des matières se réfère assez curieusement à *Mes Voyelles*, comme si l'auteur répondait en effet à d'autres *Voyelles*, en l'espèce celles de Rimbaud. La preuve qu'il s'agit bien de ça, c'est que deux mois plus tard *La Plume* donnera *Le Sonnet de Rimbaud* (1er septembre, p. 98). *Le Décadent*, *La Revue des Deux Mondes*, *La Plume*, les jeux sont faits. Rimbaud est « l'auteur de *Voyelles* », et ce poème devient le manifeste de l'école décadente ou symboliste! Peu importe à nos gens de lettres que les manifestes de ces groupements aient paru quinze ans après la rédaction du texte de Rimbaud! Par bonheur, on va bientôt se lasser. Dès 1889, Maurice Spronck écrit dans *Les Artistes littéraires* que *Voyelles* exprime « une vérité banale à force d'être vraie ». La même année, dans *La Littérature de tout à l'heure*, Charles Morice déplore que journalistes et chroniqueurs aient transformé ce poème en méthode; « et que de gorges chaudes »! C'est ce que craignait Verlaine.

1. *Genèse du mythe*, 1re éd., n° 114, donne par erreur 15 juin 1889; cette faute est corrigée dans la deuxième édition, sous presse.

TROISIÈME
ET TOUTE PETITE RÉCRÉATION

A noir, E blanc, I rouge, U vert, O bleu... (Rimbaud)

Un écrivain que je connus voilà trente ans, à Mexico, et que j'aime bien, Rodolfo Usigli, publiait en 1938 une *Conversación desesperada*, où je lus :

Estoy lleno de voces. L'O est noir (Arthur Rimbaud)

« C'est en assignant une couleur aux voyelles que, pour la première fois, de façon consciente et en acceptant d'en supporter les conséquences, on détourne le mot de son devoir de signifier. Il naquit ce jour-là à une existence concrète, comme on ne lui en avait pas encore supposé. » (André Breton, *Les Pas perdus*, p. 168.)

Fin de la toute petite récréation.

Chapitre III

« LES VOYELLES » DE MARC LEGRAND

Les *Voyelles* de Rimbaud exprimeraient donc une « vérité banale ». Soit, mais laquelle ? Si le pastiche a souvent cette vertu d'accuser les traits qu'il imite, *Les Voyelles* de Marc Legrand, publiées le 1er juillet 1889 dans *La Plume* et dédiées à Léon Deschamps, directeur de ce périodique, pourront peut-être nous aider; il s'agit bien d'un pastiche :

LES VOYELLES

à Léon Deschamps

A rouge, E blanc, I jaune, O noir, U vert : couleurs
Et sons ! — A, c'est le four où la flamme s'égaie,
C'est la guerre et le sang rubicond de la plaie,
Et la crête des coqs et les pavots en fleurs.

— E, la pâte candide et molle des mouleurs,
La neige qui, l'hiver, sur la neige s'étaie.
— I, bande de soleil couchant, brûlante raie,
Or vif, pistil des lys, cheveux roux et frôleurs.

— O, la noirceur des nuits et leurs lourdes ténèbres,
Cris sombres de la bouche, horreur, voiles funèbres,
Catafalques dressés, deuil des linceuls cousus.

— U, l'émeraude au front, la fraîcheur des campagnes,
La mer sur les varechs et les galets moussus,
Et, là-bas, les forêts, panaches des montagnes.

Sans préjuger pour l'instant de la beauté ou non de ce poème, voyons comment Marc Legrand interprète le sonnet de Rimbaud. Négligeons provisoirement les questions qui se poseront lorsqu'il s'agira de décider du bien-fondé ou non des équivalences alléguées entre des voyelles et des couleurs. Bornons-nous à constater que deux voyelles seulement (le *E*, *blanc*, le *U*, *vert*,) ont la même couleur chez Rimbaud et Marc Legrand.

Considérons pour commencer les vers où Marc Legrand traite ces deux voyelles. Deux images s'associent chez lui à l'*E blanc* : « la pâte candide et molle des mouleurs », et

La neige qui, l'hiver, sur la neige s'étaie.

Dans le premier de ces vers (le cinquième du sonnet) un mot nous alerte : *candide*. Comme tant d'écrivains qui entendent rappeler au lecteur l'étymologie rebattue : *candidus* > candide = *blanc brillant*, *blanc éclatant*, d'où *candidat* (chacun sait que par définition tout candidat sera toujours *vêtu de probité candide et de lin blanc*), Marc Legrand choisit le mot le plus blanc possible pour qualifier une chose qu'il veut blanche : la pâte à mouler, à tourner. Si nous en doutions, la répétition du mot *neige*, au sixième vers, ne nous laisserait plus le droit d'hésiter. Pour évoquer la voyelle E, c'est-à-dire la blancheur, le versificateur nomme donc des choses blanches ; et même la chose par excellence blanche :

la neige. Afin de vérifier le bien-fondé de cette hypothèse, appliquons-le au dernier tercet, qui traite de l'*U vert.*

L'émeraude, les campagnes, la mer sur les varechs (c'est-à-dire la Manche, la Côte d'émeraude), les forêts, on voit que Marc Legrand, là aussi, évoque des objets verts.

Parmi les objets blancs, ou verts, choisit-il simplement tel ou tel qui lui plaît ? Ou bien se soumet-il à d'autres lois ? Le cas échéant, quelles ?

Voyons d'abord si, dans les textes relatifs aux lettres E, puis U, nous pouvons déduire quelque constante, ou du moins quelque directive, ou du moins quelque indication touchant le rôle des voyelles.

> *— E, la pâte candide et molle des mouleurs,*
> *La neige qui, l'hiver, sur la neige s'étaie.*

Encore faut-il aussitôt distinguer entre lettres-voyelles et sons-voyelles. Si je compte les lettres-voyelles *E* qui se trouvent imprimées sous l'indicatif E, dans les vers 5 et 6, j'en trouve treize; en outre, six lettres-voyelles A; six lettres-voyelles I, deux lettres-voyelles O, quatre lettres-voyelles U. Si maintenant je compte les lettres-voyelles U qui se trouvent imprimées dans le tercet final, celui qui traite de la voyelle U, j'en trouve six; en revanche, dix-huit lettres-voyelles E, quatorze lettres-voyelles A, une lettre-voyelle I, enfin quatre lettres-voyelles O. Pour peu qu'au lieu de considérer les lettres-voyelles je fasse le compte des sons-voyelles, voici les résultats :

Sous la lettre-voyelle E, Marc Legrand rassemble

un son-voyelle *u* (s*u*r), un son-voyelle *o* (m*o*lle), cinq sons-voyelles *a*, dont un nasalisé, et trois articles définis au féminin singulier : *la ;* trois sons-voyelles *i* (cand*i*de, qu*i*, h*i*ver), un son-voyelle υ (m*ou*leurs), treize sonorités enfin où l'on trouve diverses variétés de l'*e* et du *œ*, dont cinq *e* que l'on dit muets.

Sous la lettre-voyelle U, je relève deux sons-voyelles *u*, deux seulement (s*u*r et mouss*u*s) ; cinq sons-voyelles *o*, dont deux nasalisés (fr*on*t, m*on*tagnes), deux *o* fermés (émer*au*de, et *au*), enfin un *o* ouvert (f*o*rêts); onze sons-voyelles *a*, dont un nasalisé (c*am*pagnes) et deux articles définis au féminin singulier; zéro son-voyelle *i ;* dix-huit sons-voyelles enfin où l'on trouve divers *e* et *œ* (*é*m*e*raude, fr*aî*ch*eu*r, var*e*chs, gal*e*ts, for*ê*ts).

Remarquons tout de suite que si nous inventorions dix-huit lettres-voyelles E et dix-huit sons-voyelles *e* ou *œ* avec leurs variantes, c'est pur hasard, vu que l'un des sons-voyelles *e* se note *ai*. J'observe aussi que si nous comptons jusqu'à six lettres-voyelles U dans le tercet final, il est impossible d'y reconnaître plus de deux sons-voyelles *u*, les autres lettres-voyelles U n'étant que le signe graphique des voyelles *o* ou υ, ou *œ* (émer*au*de, fraîch*eu*r, m*ou*ssus, *au*).

D'où je crois pouvoir, devoir conclure :

— que, pas plus que Rimbaud son modèle, Marc Legrand n'a réfléchi à la première question qui devait se poser à qui se pique de spéculer sur les voyelles, et notamment sur les correspondances entre voyelles et couleurs; pas plus que Rimbaud, il ne distingue des sons les lettres-voyelles. De plus il ne tient aucun compte de la longueur des sons-voyelles, ce qui, transposé en termes de peinture, devrait donner des nuances différentes, des saturations diverses, que sais-je ?

— que, dans le tercet final dédié en principe à la voyelle U, la lettre-voyelle U est bien rare et plus rare encore le son-voyelle *u* : deux exemplaires ! De la même façon, tant s'en faut que le son-voyelle *e* prédomine dans la séquence qui lui est attribuée. Que l'on considère le nombre des sons-voyelles *u* ou des lettres-voyelles U dans le tercet final (respectivement deux et six), force est de reconnaître que Marc Legrand a tenté d'exprimer la verdeur de cet U, non point par des mots qui abonderaient en U, mais par des mots qui — quand bien même ils ne comporteraient ni lettre-voyelle U, ni son-voyelle *u* — désignent une chose verte *Campagnes*, *varechs*, *forêts*. Tant pis pour les *u* qui leur manquent. Marc Legrand n'en a cure. Pourtant, *laitue*, *verdure*, *fusain*, *fûts*, *futaie* qui comportent des *u* (lettres, et sons) désignent des objets verts, ou qui évoquent la verdure. Bien mieux : le *Dictionnaire général de la langue française*, par Hatzfeld et Darmesteter, propose sous *fucus* : « *nom scientifique du varech* ». Sans rien changer au mètre ni aux accents toniques, Marc Legrand pouvait donc écrire :

La mer sur les fucus et les galets moussus

ce qui lui donnait, outre un synonyme de *varech*, quatre lettres-voyelles U, et trois sons-voyelles *u*. Or il écrit *varechs*, mot apparemment chargé pour lui (comme pour moi) de souvenirs olfactifs, d'images visuelles, de souvenirs livresques.

Puisqu'il s'agit d'un pastiche de Rimbaud, tout pourtant conseillait à Legrand d'employer ici *fucus*, car l'enfant de *Charleville-z-arrivé* n'hésitait pas, lui, à placer parnassiennement des mots techniques. Or Legrand parle de *varechs*. C'est qu'il n'a aucun désir d'accumuler sous la lettre E des sons *e*, des sons *u* sous la lettre U.

Si l'esprit vous en dit, amusez-vous maintenant à compter les lettres-voyelles et les sons-voyelles qui correspondent à celles des voyelles que Legrand ne voit pas de la même couleur que son modèle. Vous arriverez à de curieux résultats; par exemple, à compter sous l'O de Legrand dix lettres-voyelles U (contre sept lettres-voyelles O), mais deux sons-voyelles *u* seulement (cous*u*s et f*u*nèbres), toutes les autres lettres-voyelles U ayant pour fonction de noter graphiquement d'autres sons! (noirce*u*r, le*u*rs, lo*u*rdes, bo*u*che, horre*u*r, de*u*il, lince*u*l, co*u*sus) ou la diphtongue fr*u*its.

Un seul vers rassemble en quelques mots tant de sons *i* que la séquence pourrait sembler intentionnelle :

Or vif, pistil des lys.

Il s'agit pourtant d'un hasard; la chose avant tout qu'on veut évoquer c'est le pollen des lys. Les lis (ou *lys*) faisaient alors partie de l'attirail de tout rimeur. Legrand ne rate ni l'expression ni la fleur à la mode.

O balançoire ! O lys, Clysopompes d'argent !

disait Rimbaud à la manière d'Armand Silvestre dans le quatrain qui ne faisait guère que reprendre l'esprit du poème dédié à Théodore de Banville : *Ce qu'on dit au poète à propos de fleurs* :

Ainsi, toujours, vers l'azur noir
Où tremble la mer des topazes,
Fonctionneront dans ton soir
Les Lys, ces clystères d'extases !

Il est vrai qu'on n'avait pas encore publié ce poème daté du 14 juillet 1871 et qui ne nous sera révélé que dans *Les Nouvelles littéraires* du 2 mai 1925. De sorte que Marc Legrand ne pouvait savoir que c'était aux gens de sa sorte que l'enfant Rimbaud s'en prenait quand il raillait les poèmes farcis de lys :

Sers-nous, ô Farceur, tu le peux,
Sur un plat de vermeil splendide
Des ragoûts de lys sirupeux
Mordant nos cuillers Alfénide !

Reste que les lettres-voyelles I de ce huitième vers ne peuvent en aucune façon rassembler quelques *lys* par souci de grouper plusieurs lettres I. A supposer que ce fût le cas, et que telle ait été l'intention du poète, force alors serait de reconnaître qu'il a complètement raté le reste du sonnet, où *l'on ne constate aucune corrélation entre les lettres-voyelles et les sons-voyelles dont Legrand les illustre.*

L'examen de la voyelle O nous a plutôt montré que l'abondance relative des lettres-voyelles U ne sert qu'à noter graphiquement des sons graves, associés à des mots dont plusieurs veulent évoquer des objets lugubres : « *deuils* des linc*euls* co*u*sus », par exemple. S'agit-il là d'un hasard, ou d'une recherche ? Bien habile qui le dira, vu que, lorsqu'il s'agit de nommer le *catafalque*, Legrand n'hésite point à employer ce mot qui, s'il marquait une concordance entre le A et le rouge, éclaterait trois fois rouge de ses trois *a;* monstrueusement rutilant. C'est pourtant bien le même Legrand qui attaque ainsi son poème :

> *A rouge...*

Il l'attaque ainsi, pour aussitôt oublier ce qu'il vient d'écrire. En fait, quelque lettre-voyelle que nous considérions, nous constatons qu'elle est illustrée par des objets ou des choses de la couleur que le versificateur choisit pour cette seule raison qu'ils sont rouges, selon le cas, blancs, jaunes, noirs ou bleus. *Flamme*, *sang*, *plaie*, *crête des coqs*, *pavots en fleurs*, voilà bien des taches rouges. C'est tout naturellement que les cheveux *roux*, *le pistil des lys* évoqueront la couleur jaune : il n'y faut guère d'imagination créatrice.

Dès lors, peu importe la couleur dont Marc Legrand affuble chaque voyelle. S'il avait décrété que le A était jaune, et plutôt rouge le I, rien ne l'empêchait d'écrire :

> *A jaune, E blanc, I rouge, O noir, U vert : couleurs*
> *Et sons !*

puis d'énumérer sous A les mêmes objets que sous I dans le sonnet dont nous disposons, et, réciproquement, sous I, les mêmes objets que sous A. Il en était quitte pour remanier son médiocre poème. Médiocre, ah combien ! Il m'a suffi de proposer un changement de couleurs pour obtenir un premier vers d'où l'on ne sent plus la cacophonie *ijônônoir*. Je ne dis pas que le premier vers ainsi retouché involontairement devienne beau. J'affirme qu'il est un peu moins laid que celui de Legrand.

Mais que d'autres laideurs encore dans ce sonnet! Si je pressens une intention allitérative dans :

molle des mouleurs

(où la présence les liquides peut à la rigueur passer pour un équivalent passable de l'idée à suggérer : la malléabilité de la terre qu'emploie le potier, ou de la pâte que malaxe celui qui fait du modelage) ni la *pâte candide*, ni le *sang rubicond*, ni la *brûlante raie* du soleil couchant ne valent tripette; chacun de ces adjectifs pèche par quelque chose : *candide*, par sa prétention étymologique; *rubicond*, par l'impropriété flagrante puisqu'il ne se dit que de la face, du visage; *brûlante*, par la sottise du mot en cet endroit, vu que la bande jaune qui barre le ciel au couchant n'est pas brûlante le moins du monde. Quant à évoquer de la *neige* pour signifier de la blancheur, quelle pauvreté d'imagination! Jointe, de surcroît, à quelle gaucherie :

La neige qui, l'hiver, sur la neige s'étaie.

Et quels clichés dans les vers consacrés aux voyelles O et U! Tout un romantisme de pacotille pour *O noir* : l'inévitable *ténèbres* rimaillant avec *funèbres*, et ce *cri sombre de la bouche*, souvenir de la *bouche d'ombre* comme si l'homme pouvait crier avec autre chose que sa bouche. Non, décidément non! Pas une image sentie, pas une sensation, pas un souvenir personnel; pas de plan non plus. Une marqueterie de platitudes, voilà donc *Les Voyelles* de Marc Legrand.

A son crédit, ceci : dans la mesure où il se réclame des *Voyelles* de Rimbaud, son pastiche, tout exécrable qu'on doive le juger, a cette vertu de ne point fausser le sens du texte de Rimbaud et de ne point en tirer autre chose que ce qui apparemment s'y trouve. On démarque Rimbaud, et le plus vulgairement du monde; on ne le trahit pas.

QUATRIÈME PETITE RÉCRÉATION

Supposons par conséquent que *Voyelles* s'inspire des lettres-voyelles, puisque c'est le cas. Comment traduire ce poème dans les langues sémitiques qui ne consignent que le schéma consonantique des mots ? Je ne connais aucune traduction arabe de *Voyelles ;* il existe une version hébraïque au moins.

Ceux qui voudraient en savoir plus long là-dessus, pourraient lire, quand elle paraîtra, l'étude que je consacre à ce beau monstre dans les *Mélanges* offerts à Julien Cain par un groupe de ses amis (Hermann, 1968) : *Le sonnet des* Voyelles *en hébreu moderne.*

Je me bornerai ici à proposer une translittération du texte hébreu et sa traduction juxtalinéaire. Je demande alors à M. Faurisson : « Que reste-t-il en hébreu de vos interprétations érotiques ? »; à tous les maniaques de l'audition colorée : « Devant ces attributions fantaisistes, de n'importe quelle couleur à n'importe quelle voyelle, et même aux *matres lectionis* de l'hébreu, n'éprouvez-vous aucune gêne ? Sinon, je salue en vous un esprit sublime, digne de s'affilier à la nouvelle critique, au nouveau roman, au nouveau théâtre, à la nouvelle poésie, à toute nouvelle nouveauté. »

[.]	I	KHIRIK, BEZIV-SADAI MORIK I, verdissant dans la splendeur de mon champ
[∴]	È	SÈGOL, BEKÈTÈR-PÈRAKH ITSTÈAV E, jaunira dans la corolle des fleurs
[..]	É	TSÉRÉ, KAÉSH IAADÉM E rougira comme le feu
[-]	Ă	PATAKH, BESHAAR-SHAKHAR MALBIN A, blanchit dès l'aurore
[⋰]	OU (surligné)	KOUBOUTS, KEKHOULOT, SEGOULOT ILBASH Ou, se vêtira de bleus violets
[·l]	OŬ	SHOUROUK, ASHOURENOU SHAZOUR BEKHOUM Ou, renforce-nous de brun *(de noir avec du rouge)*
[T]	Ā	KAMATS, TAKH ARGAMAN AN AV A, a crépi de pourpre les nuages
[i]	O	KHOLEM OLEF OLAM BEOR O, fait défaillir le monde dans la lumière KHOFEN HODIM KHOKAVIM Saisira dans sa main la majesté des étoiles
[:]	E	SHEVA YA ALOZ LAKHTOP TSA RI VE ELI-VA ADI E, réjouira en dérobant un baume, un joyau, une parure
[:]		BE MIS(E)KENOUT YM(E)AT YSH(E)TOK (muet) En repos, pauvrement diminuera, se taira
[:]		BEYAD REKHAVA YEFAZER ZEHAV-SHEVA (mouvant) E (en mouvement) prodiguera d'une main large l'or de Saba.

(*Al Amishmar*, 15 août 1958 [1])

1. Au moment de mettre sous presse, j'apprends qu'on vient de publier une traduction nouvelle en hébreu de ce poème. Je l'étudierai plus tard, dans le livre que je prépare sur les traductions de *Voyelles* en allemand, anglais, bulgare, espagnol, hébreu, italien, japonais, polonais, portugais, russe, roumain, hongrois, serbo-croate, tchèque, etc.

Chapitre IV

L'AUDITION COLORÉE

I. DE QUELQUES DISCIPLES ABUSIFS

Marc Legrand avait un mérite au moins : dans ses *Voyelles*, aucune autre prétention que d'évoquer des couleurs en nommant des objets qui suggèrent ou imposent la couleur dont il s'agit. Malheureusement, les *Voyelles* de Rimbaud auront trop de succès; d'où combien d'interprétations abusives, de contre-sens flagrants!

En 1896, dans *La Poésie contemporaine*, E. Vigié-Lecocq prétend que Rimbaud « détermine dans un sonnet fameux la couleur des voyelles »; ce qui, au pied de la lettre, signifie que Rimbaud fut l'inventeur (ou le découvreur) d'une vérité; le premier théoricien de la couleur des voyelles. Or Marc Legrand a déjà publié ses *Voyelles*, dont les valeurs à deux exceptions près, ne correspondent point à celles que « détermine » Arthur Rimbaud. Le même Vigié-Lecocq propose à notre admiration un sonnet de son cru, lequel prétend signifier « d'autres » rapports encore, d'autres correspondances :

Pour nos sens maladifs voluptueusement
Les sons et les couleurs s'échangent. Les voyelles
En leurs divins accords, aux mystiques prunelles
Donnent la vision qui caresse et qui ment.

A claironne vainqueur en rouge flamboiement.
E, soupir de la lyre, a la blancheur des ailes
Séraphiques. Et l'I, fifre léger, dentelles
De sons clairs, est bleu célestement.

Mais l'archet pleure en O sa jaune mélodie,
Les sanglots étouffés de l'automne pâlie
Veuve du bel été, tandis que le soleil

De ses baisers saignants rougit encor les feuilles.
U, viole d'amour à l'avril est pareil :
Vert comme le rameau de myrte que tu cueilles.

Après

A noir, E blanc, I rouge, U vert, O bleu (Rimbaud)

et

A rouge, E blanc, I jaune, O noir, U vert (Legrand)

voici donc un troisième tableau de concordance :

A rouge, E blanc, I bleu, O jaune, U vert

Une seule association, celle du blanc avec la lettre-voyelle E, se retrouve dans les trois poèmes.

Faut-il au moins en conclure que Vigié-Lecocq, quand il prétend que « Rimbaud détermine [...] la couleur des voyelles », ne prend guère au sérieux cette prétendue « détermination » ? Sans aucun doute. Mais alors, monsieur, il ne fallait pas employer « détermine »!

Des quatorze vers qu'à son tour il propose, on peut inférer que sa méthode poétique — si tant est que l'adjectif convienne à cette prose rimaillée — coïncide avec celles de ses prédécesseurs. Pour illustrer chaque lettre-voyelle du français, et les correspondances colorées qu'il substitue à celles de ses devanciers, le nouveau démiurge se contente aussi de nommer certaines choses qui suggèrent ou imposent la couleur en question : *A rouge* appelle donc le terme *flamboiement* (chez Marc Legrand, sous rouge, nous trouvions de la *flamme*); mais cela dans un vers où l'on chercherait en vain un seul *a* claironnant :

A claironne vainqueur en rouge flamboiement.

Les trois *a* (*en*, fl*am*boiem*en*t) sont bouchés par nasalisation et, de plus, s'écrivent deux fois sur trois avec la lettre-voyelle E; ni la lettre-voyelle A de « cl*a*ironne », ni celle de « v*a*inqueur » ne sont, phonétiquement, des sons-voyelles *a*.

Pareillement, la lettre-voyelle E appelle un objet blanc qui, par un effet paresseux de la mystiquerie en vogue, de l'angélisme au rabais, aura fatalement « la blancheur des ailes séraphiques ». Observez que si quelque son-voyelle s'impose ou du moins domine dans le texte relatif à cette lettre-voyelle E, c'est le *i :*

E soupir de la lyre, a la blancheur des ailes
Séraphiques

Quant à l'I, lettre-voyelle qu'on nous dit bleue, cette fois, elle s'associe au ciel, ce qui ne me touche pas beaucoup plus que pour le rouge de l'A ce *flamboiement* dont j'ai parlé. D'autre part, si j'excepte le mot *fifre*, lequel contient un son-voyelle *i*, tout le texte illustrant la lettre-voyelle I témoigne de l'indifférence irréprochable de Vigié-Lecocq au son-voyelle qui répondrait à ladite lettre-voyelle :

> *... Et l'I fifre léger, dentelles*
> *De sons clairs, est bleu célestement.*

Le seul moment du sonnet où l'on pourrait supposer que Vigié-Lecocq s'efforce de choisir des mots comportant cette voyelle précisément qui est censée signifier cette couleur, c'est dans trois des vers accordés à la lettre-voyelle O :

> *Mais l'archet pleure en O sa jaune mélodie,*
> *Les sanglots étouffés de l'automne pâlie*
> *Veuve du bel été, tandis que le soleil*
>
> *De ses baisers saignants rougit encor les feuilles.*

J*au*ne, mélodie, sanglots, *au*tomne et soleil nous offrent six vocalismes en *o* (dont deux notés *au*); encore, deux de ces sonorités en *o* sont-elles éparpillées sur deux vers. Il faut isoler un vers et demi pour y observer cinq sons-voyelles *o :* j*au*ne, mélodie, sanglots, *au*tomne. Plutôt qu'une intention, que démentent les dix autres vers du sonnet, reconnaissons plutôt dans ces expressions prosaïques ce qui de toute évidence y transparaît : un médiocre plagiat des vers déjà illustres que Verlaine avait composés en 1864, et publiés en 1866 dans les *Poèmes saturniens* :

> *Les sanglots longs*
> *Des violons*
> *De l'automne*

et qui vont fixer pour longtemps la tonalité de l'automne dans la mémoire et l'inconscience des amateurs de poèmes. Chez Vigié-Lecocq, trois des six sonorités en *o* viennent des sanglots et de l'*automne* fredonnés par Verlaine. Voici en outre le j*au*ne qui prétend réduire à une couleur la diversité des nuances de l'automne, saison qui mérite mieux : la plus violente, la plus joyeuse pour peu qu'on aime les couleurs. Bref, les sons en *o* ne correspondent point à une poétique; à preuve, le vers suivant :

Veuve du bel été, tandis que le soleil

où le seul son-voyelle *o* disparaît au milieu des autres sonorités; disparaît d'autant plus complètement qu'il n'est pas accentué (l'accent portant sur *-leil*).

L'étude de la lettre-voyelle U confirme ce pronostic : le seul son-voyelle *u* que j'entende aux deux vers chargés de définir les rapports entre le vert et cette lettre se trouve comme escamoté dans un mot peu accentué, et de sens léger : *tu* (le sens et l'accent se concentrant sur le dernier mot du vers : *cueilles*).

Une seule originalité, si l'on peut dire, en ce sonnet : outre la correspondance entre lettre-voyelle et couleur, Vigié-Lecocq s'efforce de « déterminer » une concordance entre lettres-voyelles et instruments de musique.

On obtient alors le tableau que voici :

lettre-voyelle	couleur	instrument
A	rouge	clairon
E	blanc	lyre
I	bleu	fifre
O	jaune	violon
U	vert	viole d'amour

Il est vrai que Rimbaud fait retentir un *clairon*; non point sous la lettre-voyelle A; sous le O, où Vigié-Lecocq entend plutôt des *sanglots* de *violons*. Pauvre zélateur qui n'a pas compris le sens s'il en est du sonnet de Rimbaud, et que l'Oméga exige les trompettes du Jugement Dernier! Vigié-Lecocq a voulu constituer un système de correspondances plus complexe, plus cohérent que celui de Rimbaud. A cette fin, il a repris des idées qui traînaient depuis plus d'un siècle. Scriabine donnera bientôt ses *gammes de couleurs* et le professeur Wallace Rimington produira cet « organ which plays in colours, instead of notes », cet orgue à couleurs, non point à notes. Tristes imitations d'un fameux *Clavecin oculaire*, celui du P. Castel. Moins retenus, d'autres imitateurs prétendront déduire de *Voyelles*, qu'apparemment ils n'ont pas lu, une poétique de l'*audition colorée*, comme on dit à la fin du XIXe siècle, c'est-à-dire telle que, pour susciter chez l'auditeur (ou le lecteur ?) telle couleur, il suffit d'accumuler dans le poème la voyelle correspondante.

Certains traducteurs de *Voyelles* contribuent à

ce non-sens, en bouleversant l'économie des quatorze vers qu'ils sont censés traduire. Alfred Wolfenstein par exemple :

VOKALE

A schwarz, E weiss, I rot, U grün, O blau : Vokale,
Ich kenne eurer Herkunft Heimlichkeiten :
A, Bart behaarter Fliegen, starres Streiten
Um Aas, um faden Stank von Abfallschale,

Ein Schattengolf. E, Schnee von Zelten, Nebeln, Weiten,
Der Eise Speere, helle Speichen, Beerenwippen.
I, ausgespienes schieres Blut, begierige Lippen,
Die trinkend lachen, büssend uns entgleiten.

U, runde Strudel, grüner Fluten Brausen,
Vom Vieh gerupfte ruhige Flur, der Runzeln Hausen,
Auf kluger Stirn und Suchens Spur und Spott.

O, höchtes Horn, darin besondre Töne wohnen,
Des Kosmos von Seraph und Mond durchzogne Zonen,
O, Omega, violetter Donnerstoss aus Gott !

Peu importe en l'espèce qu'il choisisse le texte erroné du poème (*rais blancs*, qui deviennent chez lui *helle Speichen*, etc.). Comment ne pas déplorer que sous la lettre-voyelle A il accumule en effet tant de A : B*a*rt, beh*aa*rter, st*a*rres, *Aa*s, f*a*den, St*a*nk, *A*bf*a*llsch*a*le, Sch*a*ttengolf ; ainsi de suite pour chaque voyelle. Or, dans le texte français de Rimbaud, la seule séquence où domine une voyelle (le son *i*), elle illustre non pas la lettre-voyelle I, mais la lettre-voyelle U :

U cycles, vibrements divins des vers virides,
Paix des pâtis semés d'animaux, paix des rides
Que l'alchimie imprime aux grands fronts studieux.

Soit quinze lettres-voyelles I et douze sons-voyelles *i*, deux *i* nasalisés (div*in*s, *im*prime) et les deux lettres-voyelles *i* des deux *paix*, notant un *è* ouvert; cela, dans ce tercet qui censément illustre vocaliquement la couleur verte, correspondant à la lettre-voyelle U ! Quand Wolfenstein traduit ces trois vers-là, au lieu d'essayer de restituer cette anomalie surprenante, et même décisive quant au sens du sonnet original, que fait-il qu'appliquer mécaniquement son préjugé ? Il entasse treize voyelles U (laquelle en allemand se prononce comme chez nous le son *ou*), et une lettre-voyelle Ü (prononcée comme l'*u* français); il ne choisit en revanche que trois sons-voyelles *i* : deux brefs (*ruhige*, et *Stirn*), un long (*V*ie*h*). On ne trahit pas plus effrontément l'intention d'un texte qu'on traduit; on ne l'infléchit pas plus cyniquement vers une poétique étrangère à l'original.

Des cinq traductions allemandes de *Voyelles* que j'étudiai (celles de Stefan George, Alfred Wolfenstein, Duschan Derndarsky, Rolf Klœpfer et Gustav René Hocke) la version de Wolfenstein est par chance la seule qui s'impose un non-sens sur la poétique de *Voyelles*. Ce que faisant, elle viole le texte, trahit Rimbaud. Si je retraduis en français les *Voyelles* de Wolfenstein, voici ce que cela donne :

A noir, E blanc, I rouge, U vert, O bleu : voyelles,
Je connais les secrets de votre genèse :
A, barbe de mouches poilues, lutte têtue
Autour de la charogne et d'une odeur fade de rognures et de [déchets,

Golfe d'ombres. E, neige des tentes, des brouillards, des [lointains

Lances des glaces, rais clairs, balancement des baies.
I, sang pur craché, lèvres désireuses,
Qui rient en buvant et nous échappent en repentance.

U, cycles ronds, vacarme de vertes et hautes marées,
Champs paisibles tondus par le bétail, demeure des rides
Sur le front habile, vestige et dérision de la recherche.

O suprême clairon où vivent des sons étranges
Zones du cosmos parcourues de Séraphins et de la lune,
Secousse violette d'un tonnerre venant de Dieu.

Par comparaison comme on apprécie la version de Stefan George!

VOKALE

A schwarz E weiss I rot U grün O blau — vokale
Einst werd ich euren dunklen ursprung offenbaren :
A : schwarzer samtiger panzer dichter mückenscharen
Die über grausem stanke schwirren, schattentale.

E : helligkeit von dämpfen und gespannten leinen,
Speer stolzer gletscher, blanker fürsten, wehn von dolden.
I : purpurn ausgespienes blut, gelach der Holden
Im zorn und in der trunkenheit der peinen.

U : räder, grünlicher gewässer göttlich kreisen,
Ruh herdenübersäter weiden, ruh der Weisen
Auf deren stirne schwarzkunst drückt das mal.

O : seltsames gezisch erhabener posaunen,
Einöden durch die erd-und himmelsgeister raunen.
Omega — ihrer augen veilchenblauer strahl.

Les allitérations quand il s'en trouve

U : räder, grünlicher gewässer göttlich kreisen

s'efforcent de transposer celles des *paix des pâtis, paix.*

Le poète allemand se garde bien du contre-sens généralisé qu'a choisi d'obtenir Wolfenstein.

Non pas que j'estime irréprochable ce texte allemand de George. Tout comme Wolfenstein et les autres traducteurs allemands, il oublie que la lettre-voyelle U note en sa langue le son-voyelle ʋ (*ou*), et qu'il eût fallu écrire : *Ü ; räder*, etc. De plus, *grünlicher* n'a rien à voir avec *virides ;* et *samtiger*, *veloutées*, n'est point du tout *velues* (*veloutées* enjolive les mouches ; le *velu* du français est dépréciatif). Mais enfin, chez George rien ne contredit ce qui est de toute évidence le propos de Rimbaud. Retraduite en français, cette version ne révèle pas trop d'erreurs trop graves :

A noir E blanc I rouge U vert O bleu — voyelles :
Un jour je révélerai votre origine obscure :
A : noire cuirasse veloutée d'essaims épais de mouches
Qui bourdonnent au-dessus de puanteurs affreuses ; vallées
[d'ombre.

E : clarté de vapeurs et de linge étendu,
Lances de glaciers fiers, de princes blanc brillant,
I : sang craché et pourpre, rire des charmantes [*des charmeres-*
[*ses*]
Dans la colère et dans l'ivresse des souffrances.

U : roues ; cycles célestes d'eaux verdâtres,
Calme de pacages parsemés de troupeaux, repos des sages
Sur le front desquels la magie noire met sa marque.

O : étrange sifflement de sublimes trompettes
Solitudes à travers lesquelles murmurent les esprits de la
[terre et du ciel.
Omega — le rayon violet de ses yeux [au féminin, sans
[majuscule].

Le contre-sens de Wolfenstein fut hélas celui de maint et maint plagiaire ou imitateur de *Voyelles* :

lorsque John Gould Fletcher compose à son tour des *Vowels*, des *Voyelles*, qu'il publie en 1913 dans *Fire and Wine (Le Feu et le vin)*, il développe méticuleusement ce non-sens sur deux pages (43-44) :

THE VOWELS

(To Léon Bakst)

A light and shade, E green, I blue, U purple and yellow, O
[red,
All over my soul and song your lambent variations are spread.
A, flaming caravans of day advancing with stately art
Through pale, ashy deserts of grey to the shadowy dark of the
[heart :

Barbaric clangor of cataracts, suave caresses of sails,
Caverned abysms of silence, assaults of infuriated gales ;
Dappled vibrations of black and white that the bacchanal
[valleys track ;
Candid and waxlike jasmine, amaranth sable black.

E, parakeets of emerald shrieking perverse in the trees,
Iridescent and restless chameleons tremulous in the breeze,
Peace on the leaves, peace on the sea-green sea,
Ethiopian timbrels that tinkle melodiously :

I, Iris of night, hyacinthine, semi-green,
Intensity of sky and of distant sea dimly seen,
Chryselephantine image, Athena violet-crowned,
Beryl-set sistra of Isis ashiver with infinite sound :
Bells with amethyst tongues, silver bells, E and I,
Tears that drip on the wires, Aeolian melody !

U, torrid bassoons and flutes that murmur without repose,
Butterflies, bumblebees, buzzing about a hot rose ;
Upas-flowers bursting, thunder, furnaces, sunset, lagoon ;
Muted tunes of the autumn, ruby, purple, maroon :

O, orange surface of bronze, topaze-spotted brocade,
Sorrow and pomp of the Orient, colour and odour and shade,
Ebony and onyx corollas opening to the sun ;
O, lotus-glory Olympian, glory of God that is One !
O, crimson clarion horn that echoes on in the bold

Old omnipotence of power ; O, rosy glow of gold !
These are the miracles and I make them day and night :
O red, U purple and yellow, I blue, E green, A black and
[white.

Que John Gould Fletcher s'inspire de *Voyelles*, aucun doute : l'ordre des lettres est interverti dans *The Vowels* comme dans le sonnet qui servit de modèle : l'U précède la voyelle O. Mais alors que cet O, qui annonce l'Oméga, s'explique chez Rimbaud par le sens général du sonnet, le désordre des voyelles n'est plus justifié du tout chez John Gould Fletcher. L'art poétique ici consiste à entasser sous la voyelle A quarante-huit lettres-voyelles A chargées de signifier *l'ombre et la lumière* à la fois, *le noir et le blanc : light and shade ; A black and white*. A croire que le poète avait abusé ce jour-là du *Black and White ;* son parti pris lui impose de ne plus choisir les mots pour leur sens, ni même pour l'accord en eux du sens et du son, mais pour la seule présence de telle lettre-voyelle dans la graphie de ce mot. La prononciation peut varier du tout au tout. Du *a* très ouvert de *caravans*, *cataracts*, *black*, au son *é* très fermé de *shade*, *stately*, à l'*o* de *all*. Ce n'est pas deux couleurs qu'il faudrait pour illustrer mais sept ou huit. Passons. On en dirait autant de chacune des autres voyelles. Comment accorder une seule couleur à la lettre-voyelle U puisque dans le poème de Fletcher elle peut se prononcer : *ou* long (fl*ute*), ə long ou bref comme dans *murmur* (le premier des ə étant long, bref le second), *iou*, comme dans *upas-flowers* (nos *upas*), ou encore ɑ comme dans *sunset*. Ridicule d'une poétique dont l'auteur ne comprend même pas les rudiments : ce qui sépare d'un son-voyelle une lettre-voyelle, dans une langue en particulier, l'anglais, où le désaccord est aussi fâcheux qu'en français entre lettres-voyelles et sons-voyelles. Cette poétique étant *absurde*, *ridicule*, *dégoûtante*, comme disait Rimbaud, les prétendus ou soi-disant disciples du Christ des Ardennes ne cesseront de la défendre; pis encore : de l'illustrer. Ardennais lui-même et donc particulièrement imprégné des influences telluriques et autres dont nous savons qu'elles déterminèrent le génie de Rimbaud, M. Caruel imprimera donc sur chacune des cinq voyelles tout un sonnet. Comme en Allemagne Wolfenstein, comme John Gould Fletcher aux États-Unis, il entasse sous chaque lettre-voyelle autant de mots que possible comportant la lettre en question; du moins s'efforce-t-il en même temps de citer des objets, ou des paysages de cette couleur :

A, vase croupissante aux antres noirs des vasques,
Marécages de fange hantés des nénuphars...

ou bien, pour E :

E, silences calmes sans nuages, sans ailes,
Règne immense du vide aux grands sites neigeux...

Voici le premier quatrain du sonnet qui célèbre la lettre I :

I, bois roussis d'hiver cramoisis sous les givres,
Gibier pisté, bruits de poursuite, hourvaris,
Sonorité du fifre et stridence des cuivres :
Plaisir d'assassiner aux cris des hallalis.

Vingt et une lettres-voyelles I (transcrivant un nombre sensiblement moins élevé il est vrai de sons-voyelles) ont pour objet de développer l'équivalence de Rimbaud : *I, rouge* et d'évoquer des choses rouges : les bois roussis, les vestes rouges de la chasse à courre.

Supposez que j'écrive : *Nini prit son bibi et fit son p'tit pipi.* Voilà un alexandrin, avec neuf lettres-voyelles I et le même nombre de sons-voyelles. Voyez-vous du rouge ? Moi, non. J'ai beau imaginer Nini en rouquine, et que son petit pipi coïncide avec la période des menstrues, j'ai peine à mettre sous ces I beaucoup de rouge. Il faut que je sois bouché au génie de M. Caruel dont j'apprends par M. Jean-Paul Vaillant qu'il « reprend et développe le thème des *Voyelles* ». Permettez ! Que M. Caruel *développe* en autant de sonnets que de lettres ce que Rimbaud concentrait en quatorze vers, je l'accorde ; qu'il *reprenne* le thème de *Voyelles*, de qui se moque-t-on ? Il le fausse, le pervertit, le ridiculise ; ainsi dans ces deux vers qui traiteraient de l'O :

> *O, bleu de l'électrode où se forme l'ozone*
> *Reflets de couperose aux feux du cubilot*

ou dans ces deux-ci dédiés à l'U :

> *U, pâtures, talus verdoyants de luzules*
> *Creux diffus de l'aurore où rutile Vénus*

Turlutu chapeau pointu !

Où Rimbaud, indifférent aux voyelles qu'il feint de vouloir traiter, écrit *pâtis* avec un *a* et un *i*, M. Caruel choisit *pâtures*, parce que ce mot comporte la voyelle *u* et lui semble plus conforme que *pâtis* à l' « esthétique » prétendue de Rimbaud.

(Veuillez considérer que je prends une conscience de page en page plus aiguë de ma vulgarité : je lis des « poèmes »; j'en compte les lettres ou les sons-voyelles; j'examine quel est le rapport entre la fréquence des *u* sous l'*U* de Rimbaud et celle des *u* sous l'U chez ceux qui ont l'impudence de se réclamer de lui. Oui, quelle pitié! *J'en conviens. Je l'avoue. Mais que*, etc.)

L'expérience, en tout cas, m'est cruciale. Ceux qui se croient disciples de Rimbaud se méprennent du tout au tout sur l'esthétique d'un sonnet qui, en tout cas, ne s'occupe jamais de grouper autour d'une lettre-voyelle des mots comptant cette lettre-là. Tandis que M. Julien Vocance! Certes il s'abstient en 1921 d'attribuer aux voyelles des couleurs à proprement parler; il se contente de leur assigner une valeur affective. Mais par quelle méthode? Celle même de MM. Caruel, Fletcher, Wolfenstein. En accumulant sous chaque lettre autant de mots que possible parmi ceux qu'on écrit avec cette voyelle-là :

A, pharaon, satrape,
Page chargé de bagues et de tiares,
Calme et sage vieillard chargé de palmes.

E, féminin, délicat, névrosé,
Hébreu, rêveur du désert,
Pédéraste.

I, viveur raffiné,
Initié des orgies de Byzance,
Enfant prodigue, fils ingrat.

O, bon colosse obèse et jovial,
O populo, tout rond, tout gros, tout fort,
O, Boubouroche.

U, corps usé,
Déjà mordu de douleurs fulgurantes,
U lugubre, essuyant de son front les sueurs.

Treize lettres-voyelles A et treize sons-voyelles *a* en trois lambeaux de prose composant trois « vers libres »; onze *e* (muets, ouverts ou fermés) dans les trois lambeaux suivants, avec l'antisémitisme latent qui associe le *é* de H*é*breu avec les quatre *é* de p*é*d*é*, de n*é*vros*é*. (Et voilà comment l'esthétique prétendue d'Arthur Rimbaud contribue à nourrir les futurs fours crématoires!) Chacun sait en effet que les Grecs du bataillon sacré ou les hommes de guerre japonais étaient Juifs, puisque ce furent des pédérastes. Comme s'il pouvait y avoir un rapport nécessaire entre la voyelle U et les douleurs fulgurantes du tabétique, à la fin d'une vieille vérole! J'écrirais aussi bien, aussi mal :

U, corps mûr,
Pur, dur, sûr, plein d'allure
Lorsque nu il se rue vers l'anus.

Tout cela : idiot, étranger aux *Voyelles* de Rimbaud.

Alors, soudain, je me sens gonflé d'indulgence pour ce pauvre sonnet, antérieur à 1911 :

Pour que personne n'en ignore
Je fais l'aveu — pas en riant —
Que je vois l'A rouge et l'E blanc,
L'I noir et l'O jaune qui dore ;

L'U d'un ton brun que l'on décore
De divers noms s'équivalant ;

Que pour l'Y je me dévore
L'œil entre deux noirs se valant !

Si ces couleurs je les combine,
Je vois dans l'Eu du blanc sali,
Dans l'Ou de l'or mais dépoli,

Dans Au du rouge capucine...
De mes couleurs je suis au bout.
Ailleurs je ne vois rien du tout.

Je n'ai pas tout dit. Je n'ai pas cité in extenso le poème publié par M. Charles-André Grouas dans *Le Manuscrit autographe* de janviers-mars 1933, sonnet lui aussi inspiré de *Voyelles :*

Immarcesciblement vers nous s'illimitait
Le blanc message tu d'une étoile fidèle

(pot très pourri de *Voyelles* et de Mallarmé). Je n'ai pas non plus cité cet expressionniste allemand, Georg Heym qui, marqué lui aussi par Rimbaud, comme toute sa génération, écrira dans sa *Ballade du cœur cassé (Ballade vom gebrochenen Herzen) :*

Das O viel fort. Das helle I vibriert
. . . .
Das O entschwand. Das dumpfe U erscholl
. . . .
Hinaus das O. Das A der Qual ertönt

où les voyelles ont des affinités musicales et morales :

L'O s'est dérobé. Clair, l'I vibre
L'O a disparu. Le U sourd a tinté
Dehors, l'O. C'est l'A qui retentit pour la souffrance.

Entre les disciples indiscrets, dont le zèle excessif a ridiculisé le poème et ceux qui, exaspérés par ces excès, ainsi que par le caractère provocant et sot des deux premiers vers n'ont pas daigné prendre la peine d'étudier les douze derniers, est-il impossible de choisir le chemin malaisé, mais exaltant, de qui sait quelque vérité ? Ce ne sera pas facile. Ce n'est pas impossible. Dès 1939, j'écrivais qu'il faudrait sans doute un volume pour tirer au clair l'histoire de *Voyelles*. C'est un volume en effet qu'après trente ans j'écris (et sans entrer dans le dernier détail; auquel cas, il s'agirait d'un in-folio, dont j'ai rassemblé la matière).

CINQUIÈME RÉCRÉATION

(vraiment récréative puisqu'elle est empruntée au Dictionnaire du Canard 60, p. 84)

A noir? E blanc? I rouge? U vert? O bleu? Voyelles,
Rimbaud a très mal dit vos naissances latentes :
Il avait la vue basse et plutôt hésitante.
Non, il n'a pas chanté vos teintes naturelles!

A bis qui fait le moine; A bai des pénitentes;
A beige aussi, fondant entre les lèvres belles [1]*;*
Blanc d'E battu en neige à même la gamelle;
I vert sans hirondelle à l'aile froufroutante;

Jais d'O de la Mer Noire à la lame livide;
Five O glauque et bonjour à ce cher Oscar Wilde [2]
U cocotte au poil roux qui galope vers Dieu...

A alchimie du vert! Blanc vierge de l'Ange!
Blanc qui s'est fait violet!... Dans la vie, tous Orange?
Et Saint-Jacques de ton pastel est radieux.

pour copie conforme, Roland BACRI,

lequel précise modestement « Sans la manière de... » Lui, au moins, il ne triche pas.

1. Pardi : l'A beige melba!
2. Un personnage O en couleurs.

Chapitre V

L'AUDITION COLORÉE

II. DE COURT DE GÉBELIN A FELICIANO DE CASTILLO

Un des détracteurs les plus obstinés de Rimbaud, feu le colonel Godchot, reconnaît dans la rhétorique de *Voyelles* une vieillerie vieille *comme le monde*, au sens propre. Page 28 du tome second de son naïf *Rimbaud ne varietur*, le fougueux militaire [1] écrivait en effet : « Rabelais, au chapitre LVI du *Quart livre* nous raconte qu'en arrivant au confin de la mer glaciale, où avait eu lieu une bataille, *des paroles gelèrent en l'air*, cris, chaplis, hurtys, hennissement des chevaux, etc., mais qu'alors "*advenente la sérénité et temperie du bon temps, elles fondent et sont ouyes*". Panurge, naturellement, en voulut voir quelques-unes; se souvenant que, quand "*Moses reçut la loy des Juifs, le peuple voyait les voix sensiblement*". Lors, Pantagruel jeta sur le tillac des voix qui n'étaient pas encore dégelées, "*et semblaient dragées perlées de diverses couleurs. Nous*

1. Célèbre aussi pour avoir récrit en bon français *Le Cimetière marin.*

y vîmes des mots de gueule, des mots de sinople, des mots de azur, des mots de sable, des mots dorez". »
Un appel de note nous renvoie ici à l'Exode : « Rabelais se fie au texte latin de l'*Exode* XX-18 : "Cunctus autem populus videbat voces "; mais la traduction de Sacy ne donne pas absolument ce texte. » Sur quoi, en caractères gras, le colonel Godchot annonce triomphalement : RIMBAUD N'A RIEN INVENTÉ!

Les deux chapitres du *Quart livre* sur les paroles gelées n'ont évidemment rien à voir avec Rimbaud. Lorsque Rabelais renvoie son lecteur à l'Exode, ce m'en est la preuve assurée : soit la traduction d'Edouard Dhorme (Pléiade) : « Or tout le peuple voyait les tonnerres et les feux, le son du cor et la montagne fumante : le peuple le vit et ils tremblèrent et ils se tinrent au loin. » Nous sommes au pied du Sinaï, quand Elohim remet à Moïse les préceptes de la loi. Dhorme précise en note : « Suite du chapitre XIX. Verbe "voir" pour les deux compléments; les tonnerres et les feux (littéralement "les torches"). Or au chapitre XIX-16, pour décrire la théophanie, voici le texte de la Bible : "Au troisième jour, dès le matin, il y eut des tonnerres, des éclairs et une lourde nuée sur la montagne, un son de cor très fort : tout le peuple qui était dans le camp trembla." En note, je lis : "Des tonnerres", littéralement "des voix", comme dans IX-23; XX-18. Le tonnerre est la voix de Iahvé. »

D'un texte hébreu où le verbe *voir* signifie aussi *percevoir*, et où le mot *voix* désigne le *tonnerre*, voix de Iahvé, il faut toute la candeur du colonel Godchot pour déduire que Rimbaud, dans *Voyelles*, n'a rien inventé; que ce poème se borne à reprendre un thème de la Genèse, aménagé par Rabelais d'après Plutarque (*Des oracles qui ont cessé*, XXII). Ce faisant, Godchot se borne lui-même à répéter Van Roosbroeck, *The Legend of the Decadents* (New York, Institut d'Études françaises, Columbia University, p. 30, 1927, reproduction d'un article paru dès 1925 dans *The Romanic Review* sous le titre *Decadence and Rimbaud's sonnet of the vowels*). Outre que Rabelais se réfère au nom des couleurs dans le blason : *gueules*, pour rouge, *sinople*, pour vert, *azur*, pour bleu, *sable*, pour noir, alors que Rimbaud emploie les noms courants de chaque couleur. Cette « source », avouons-le, est tarie.

Si l'on cherche avant tout les sources du poème, il faut donc trouver autre chose.

En avril-juin 1939, lorsque je publiai le premier état de mon enquête sur *Voyelles*, je me référais à la *Musurgia universalis* d'un fameux jésuite du XVIIIe siècle, le Père Kircher, « lequel prétend que celui-là percevrait un mélange de merveilleuses couleurs, qui pourrait voir, sous l'effet d'un son, vibrer l'air ». Je mentionnais également le *Clavecin oculaire* du Père Castel, que Voltaire accueillit avec intérêt. Enfin je citais Voltaire lui-même : dans les *Éléments de la philosophie de Newton*, édition de 1738, il écrivait p. 147 : « Cette analogie secrète entre la lumière et le son, donne lieu de soupçonner que toutes les choses de la nature ont des rapports cachés que peut-être on découvrira quelque jour. » Je concluais qu'il serait également hasardeux d'assigner à Voltaire, Newton, Castel, Kircher ou Rabelais la paternité de *Voyelles*.

Après un quart de siècle, je ne m'en dédis point.

Encore que je regrette l'imperfection de cet article. Entre-temps, Émilie Noulet publia dans *Le Premier Visage de Rimbaud* une étude précise où elle examina ce qu'il faut penser de l'affaire Newton, Voltaire, Kircher, Castel.

Bien que tout ce que j'ai lu depuis trente ans et les travaux de Mme Noulet confirment le mouvement général de mon étude ancienne, il est temps de faire le point.

C'est donc dans les *Éléments de la philosophie de Newton* que Voltaire, en 1738, compare la mesure de la réfrangibilité des couleurs à la longueur d'onde des cordes vibrantes, ce qui autorise à établir un tableau de correspondance : violet-ré, pourpre-mi, bleu-fa, vert-sol, jaune-la, orangé-si, rouge-ut. Aux sept couleurs du prisme, correspondraient ainsi les sept notes de notre gamme. Voltaire se référait alors au Père Kircher, à cet *Ars Magna lucis et umbrae* où le jésuite polygraphe tient le son pour une façon de « singe de la lumière »; il réfutait l'opinion de ceux qui voient en Kircher celui qui aurait incité Newton à formuler sa théorie. Tels qu'il les cite, voici en effet les propos du jésuite : « Ceux, dit-il, qui ont une voix haute et forte tiennent de la nature de l'âne : ils sont indiscrets et pétulants, comme on sait que sont les ânes; et cette voix ressemble à la couleur noire. Ceux dont la voix est grave d'abord, et ensuite aiguë tiennent du bœuf; ils sont, comme lui, tristes et colères, et leur voix répond au bleu céleste. » Voltaire prétend que c'est là tout ce que nous apprend Kircher; Émilie Noulet précise que Voltaire ne traduit et ne résume que deux chapitres du jésuite. Kircher distingue encore « la voix blanche des hommes mous et efféminés, la voix rouge feu *(quae rubro, igneo colori respondet)* des hommes trop prompts et brouillons, la voix jaunâtre *(subflavo)* de ceux dont le caractère ressemble à celui des brebis, et la voix d'un rouge intense de ceux qui, comme la chèvre, ont un tempérament vif » (Noulet, p. 131). C'en était assez pour condamner Kircher.

Un peu plus loin, Voltaire se référait au clavecin oculaire du Père Castel : « Un philosophe ingénieux a voulu prouver ce rapport des sons et de la lumière peut-être plus loin qu'il ne semble permis aux hommes d'aller. Il a imaginé un clavecin oculaire qui doit faire paraître successivement des couleurs harmoniques comme nos clavecins nous font entendre des sons : il y a travaillé de ses mains; il prétend enfin qu'on jouerait des airs aux yeux. » Dans l'édition de 1738, Voltaire estimait que « l'on doit remercier un homme qui cherche à donner aux autres de nouveaux arts et de nouveaux plaisirs. Il y a eu des pays où le public l'aurait récompensé. » Mais dès l'édition de 1741, il rabat beaucoup de son enthousiasme : « Au reste, cette dernière idée n'a point encore été exécutée, et l'auteur ne suivait pas les découvertes de Newton. » *Euclide-Castel* est devenu *Zoïle-Castel*, puis le *Don Quichotte des mathématiques*. Ce qui n'empêcha point Castel de publier en 1740 son *Optique des couleurs* et d'y affirmer qu'il existe « une mère-couleur, trois couleurs primitives, couleurs toniques, cinq couleurs diatoniques, douze demi-teintes et cent quarante-quatre couleurs dérivées »; à quoi correspondraient, dans l'ordre de l'acoustique : un son fondamental, trois sons primitifs, cinq sons toniques, et cent quarante-quatre sons dérivés, perceptibles à toute oreille exercée. Quant au clavecin oculaire, qui ne fonctionna jamais, comme le rappelle Émilie Noulet, il n'eût en rien pu servir à justifier l'entreprise d'Arthur Rimbaud. Comme l'écrit ce même critique (*Le Premier Visage de Rimbaud*, p. 135) : « Loin de compter sur des sens raffinés et hypersensibles, son clavecin oculaire [celui du P. Castel] s'adresserait plutôt aux sourds à qui il offrirait, en guise de compensation, des fugues de teintes dégradées et des sortes de symphonies colorées. »

C'est en vain qu'on cherche à présenter la physique amusante du Père Castel comme une source de Rimbaud. Il s'agit de tout autre chose.

Je protestais également en 1939 contre ceux qui insinuent que Rimbaud avait pu emprunter à Gœthe son idée des voyelles colorées. Emilie Noulet rappelle opportunément qu'avant 1871, Rimbaud, qui ne savait point l'allemand, ni même d'allemand, ne pouvait avoir connu la thèse de Gœthe que dans un ouvrage d'Ernest Faivre : *Les Œuvres scientifiques de Gœthe* (Hachette, 1862). Cette fois encore, il ne s'agit d'ailleurs nullement d'associer des voyelles à des couleurs, mais de réfuter l'optique de Newton, tout en reconnaissant que les *couleurs* et les *sons musicaux* « semblent les modifications d'un même phénomène fondamental ». A la différence de ceux qui cherchent à construire des systèmes correspondants de couleurs et de notes, Gœthe estime qu'il n'est pas légitime d'organiser une comparaison systématique, et surtout un parallélisme rigoureux, entre ces deux ordres de phénomènes. Telle était sa position dans le *Traité des couleurs*. Même si on se réfère aux *Lettres d'Euler à une princesse d'Allemagne* (écrites en français, publiées en 1787) on ne peut en tirer une théorie attribuant aux lettres-voyelles ou aux sons-voyelles des correspondants colorés. Il s'agit toujours d'associer à des couleurs du prisme telle note de la gamme, le timbre de tel instrument de musique. Gœthe raille du reste ce Léonard Hoffmann qui comparait « l'indigo au violoncelle, le vert à la voix humaine, le jaune à la clarinette, le rouge éclatant à la trompette; et ainsi pour chacune des couleurs ». Lorsque Gounod bien plus tard demande à telle de ses élèves de lui donner « une note lilas », il ne fait que ressasser une banalité contestée, vieille d'un siècle au moins, un lieu commun de la physique amusante après Newton. Une excellente étude vient justement de paraître sur *l'enseignement scientifique dans les collèges de jésuites au XVIII*e. François de Dainville y montre comment le Père Castel, opposé à l'ascèse de la pensée abstraite, met en œuvre une « méthode riante », sa *Mathématique universelle abrégée à la portée de tous et à l'usage de tout le monde*. Fruit de cette mathématique sans larmes, de cette physique par la joie, les spéculations de Castel ne sauraient être considérées comme une source de Rimbaud.

D'autres ont voulu voir dans *Voyelles* un surgeon du romantisme allemand, de Novalis ou de son ami Friedrich Schlegel. Il est vrai que le romantisme allemand a rêvé lui aussi de la « Gleichsetzung aller Sinnessphären » (l'équivalence de tous les registres de la sensibilité). Aussi bien qu'au *Heinrich von Ofterdingen* on pourrait se référer au *Prinz Zerbino*, de Tieck, à cause de *die Farbe klingt*, *die Form ertönt* (la couleur tinte, la forme retentit). Tout cela ne fait que prolonger la querelle autour de l'optique selon Newton. Pas plus que Gœthe, les romantiques allemands ne doivent être considérés comme une source de *Voyelles.* En 1884, au moment du tintamarre sur *Voyelles,* Félix Fénéon publia un article consacré à Francis Poictevin, et accessoirement aux relations entre les sons et les couleurs ; relations qui seraient sensibles à « tout système nerveux raffiné [...] le centre cortical des perceptions des couleurs et celui des images auditives ainsi que leurs anastomoses, localisées dans une même et fort restreinte région de l'écorce cérébrale, s'actionnent mutuellement ; et le sonnet de M. Arthur Rimbaud

A noir, E blanc, I rouge, U vert, O bleu : Voyelles

est une scolie des travaux de MM. Pedrono et Pouchet et des récents ophtalmologues. »

Autrement dit, Rimbaud gloserait des travaux médicaux sur un phénomène en son temps à la mode, qu'on appelle tantôt *phonopsie,* tantôt *colour-hearing,* tantôt *audition colorée* et qui n'est qu'un cas particulier de ce qu'on désigne plus généralement sous le nom rébarbatif et grécisant de *synesthésies.* Rimbaud qui, selon toute vraisemblance, écrivit *Voyelles* à la fin de 1871 et assurément avant avril-mai 1872, ne pouvait connaître et gloser les travaux du docteur Pedrono, lequel publia bien un travail sur l'audition colorée, mais dix ans plus tard, dans *Les Annales d'oculistique* de novembre-décembre 1882. En parlant d'*audition colorée,* ce médecin se référait expressément à l'expression anglaise *colour-hearing,* qu'il traduisait, plutôt que de recourir aux racines grecques, à *phonopsie*. Les travaux de Pouchet, ceux des autres ophtalmologues qui parlent de l'audition colorée sont postérieurs à 1871 et de plusieurs années. Fénéon s'est trompé : serait-ce alors que Rimbaud crée tout seul son système de correspondances ? Les maniaques de Rimbaud l'exigent, et le mythe du créateur génial, unique, sans précédent. La vérité sera sans doute différente.

Dans une *Contribution à l'étude du* « *Sonnet des Voyelles* », qu'il publia au tome III des *Mélanges Mario Roques* (Paris, Didier, 1952, pp. 145-148) Pierre Martino, après avoir tenté de situer l'affaire du sonnet par rapport à celle de l'*audition colorée*, propose un texte dont il ne prétend pas que ce soit une source de Rimbaud, mais dont il estime que le sens peut « éclairer » (ou en tout cas « resserrer ») la question qui se pose à ce sujet.

« Une revue anglaise au début du XXe siècle, la *Literary Gazette*, dans son numéro du 20 octobre 1821 (p. 667) annonce une œuvre qui va bientôt paraître sous le titre *Etymological gleanings* et elle en résume quelques-uns des aperçus les plus originaux.

« In a manuscript containing curious observations upon letters, the perusal of which I was allowed a few years, since the author surrounds himself with quotations from ancient poets, in order to prove that the vowel *A* corresponds to white, as a colour, and to the sound of *German* flute; *E* to *blue* and the *clang* of cranes or the blast of the *trumpet; I* to the *yellow* and the slender sounds of the flageolet; *O* to red and the *drum;* and *U* to *black* and the howlings of mourners at the grave. Among the different citations adduced to support his hypothesis in its ingenious excentricity, I find the following[1]. »

Traduisons : « Dans un manuscrit contenant de curieuses remarques sur les lettres, et dont j'ai pu me servir durant plusieurs années, l'auteur s'entoure de citations qu'il tire des vieux poètes, afin de prouver que la voyelle A correspond à la couleur blanche, et au son de la flûte allemande; le *E*, au *bleu*, et aux strideurs des grues, ou à un éclat de trompette; le I, au *jaune* et aux sons délicats du flageolet; le O, au *rouge* et au tambour, et U au *noir* ainsi qu'aux hurlements des pleureuses sur une tombe. Parmi les diverses citations produites pour étayer son hypothèse dans son ingénieuse excentricité, voici ce que je trouve. »

WHITE, the indivised ray of light	*A*	Stans hostia ad aram Lanea dum nivea circumdatur infula vitta, *Georg.* III, 487.
BLUE, 1st primitive colour	*E*	Quo non praestantior alter Aere ciere viros Martemque accendere cantu. *Æn.*, VI, 165.
YELLOW, 2nd and middle primitive colour	*I*	Sub tegmine fagi Silvestrem tenui musam meditaris avena. *Buc. Ecl.* I, 1.
RED, 3rd primitive colour	*O*	Pro molli viola, pro purpureo narcisso. *Buc. Ecl.* V, 38.

1. Je ne me crois pas tenu de reproduire toutes les coquilles qui gâchent le texte anglais.

BLACK, absence of light	*U*	Lamentis gemituque et femineo ululatu. *Æn*, IV, 667 and *Æn*. XI, 662, ululante tumultu.

J'épargnerai à mes lecteurs le charabia dont Martino commente ces citations, et me bornerai à résumer son argument : si l'auteur voit blanche la lettre A, c'est que Virgile a employé onze fois cette lettre dans le vers et demi des *Géorgiques* où il évoque la blancheur : avec laine (l*a*ne*a*) neige (nive*a*) bandelette (vitt*a*); et pourquoi l'O rouge, sinon parce que cette lettre-voyelle paraît six fois dans les vers des *Bucoliques* où l'on nomme le narcisse pourpré (pro molli vi*o*la, pr*o* purpure*o* narciss*o*); U sera donc noir puisque le mot *ulu*lat*u*s dans le contexte ne peut s'accompagner que de visions endeuillées. De sorte que, pour Martino, « l'obsession de la couleur des voyelles pourrait [...] n'être à l'origine qu'un cas extrême de l'usage des allitérations ».

Et si nous retournions aux textes originaux? Crétins que nous sommes, nous autres universitaires, nous en sommes encore là! Relisons donc au livre III des *Géorgiques* les vers 486-487 :

Saepe in honore deum medio stans hostia ad aram
Lanea dum nivea circumdatur infula vitta

« Souvent, lorsqu'au milieu d'un sacrifice aux dieux, debout près de l'autel, au moment où le ruban neigeux fixe autour de sa tête la bandelette de laine, la victime », etc...

Je remarque aussitôt 1° que l'auteur anglais commence par amputer les deux premiers tiers du premier vers, parce que la voyelle A n'y joue aucun rôle; 2° qu'il coupe ingénieusement sa phrase après *vitta* et nous laisse en suspens. De quoi s'agit-il? De l'épizootie du Norique; or je lis après *vitta* :

inter cunctantis cecidit moribunda ministros

c'est-à-dire : « la victime s'abattit moribonde, prévenant les sacrificateurs. »

Il s'agit doublement de mort; mort par sacrifice; et mort par épizootie. Le thème de ces trois vers est lugubre. Je ne vois pas pourquoi la voyelle U n'y serait pas aussi fréquente que le A. De plus, en isolant les mots :

stans hostia ad aram
Lanea dum nivea circumdatur infula vitta

le critique anglais triche. Il s'agit ici d'un rituel : *ara*, qui désigne l'autel, *vitta*, la bandelette, *infulà*, le ruban rituel sont de rigeur; ces mots appartiennent à la première déclinaison, et exigent des désinences analogues pour l'adjectif qualificatif. Les *a* brefs de *lanea* et de *infula* n'ont d'ailleurs pas la même valeur et par conséquent pas la même couleur, que les *a* longs de *nivea* et de *vitta.* Ces *a* ne sont là que sous forme de désinences, commandés par la syntaxe dans une phrase qui respecte le détail d'un rituel, en nommant les objets du culte. La syntaxe introduit deux nominatifs féminins en ă et deux ablatifs féminins en *ā;* voilà tout. Il s'agit d'un hasard. Je me flatte de trouver dix groupes de mots latins où le même nombre de *a* se trouve dans un contexte où l'on évoque d'autres couleurs que le blanc.

Soit les *Géorgiques* I, 132 : qui m'empêche d'isoler *currentia vina* et, fort de ces deux *a*, d'affirmer que, s'agissant de ruisseaux de vin, les *a* évoquent le rouge. Point du tout, répliquera-t-on : il s'agissait de vin blanc; et de me renvoyer aux *a* de *aram lanea*, *infula*, *nivea*, *vitta*. Sur quoi je produirai le vers 360 du même chant :

Iam sibi tum curvis male temperat unda carinis,

où je compte cinq voyelles A dans un vers qui évoque la mer en fureur, c'est-à-dire le vert, le violet, le gris, et cinq voyelles I. Puisque A évoque le *blanc*, et I le *jaune*, il faut que la mer en furie soit de couleur crème. Cela ne tient pas, d'autant que le vers 361 présente des mouettes qui reviennent en hâte du large :

cum medio celeres revolant ex aequore mergi

où donc sont-ils, ces *a* qui devraient susciter la couleur blanchâtre des mouettes ?

« Ingénieusement excentrique » en effet, l'auteur de ces spéculations se contente d'isoler arbitrairement, dans la littérature latine, un exemple qui semble servir sa cause. J'en produirai cent qui l'infirment; et de même pour les couleurs des autres voyelles. Ceci pour finir (*Géorgiques*, III, 162) :

Cetera pascuntur viridis armenta per herbas

« Le reste du troupeau va pâturant dans les herbages verts. » En un seul vers, vous avez là cinq *a* pour évoquer le pâturage, la verdure. La *verdure ;* non point la *blancheur ;* mais à l'accusatif le mot *vert* comporte trois *i (viridis)* ce qui, selon l'esthétique de notre Anglais, évoquerait la couleur jaune. L'herbe sera donc *jaune* (à cause de *viridis*) ou *blanche* à cause des cinq *a* du vers...

Notons la date : 1821. L'année suivante, paraît en France chez Lefuel, rue Saint-Jacques, un ouvrage en deux volumes de M. Brès : *Lettres sur l'harmonie du langage.* La lettre XXXVIII (T. 1er, pp. 180-186) est tout entière consacrée au *son des voyelles :* après avoir formulé un principe général, à savoir que « les sons de certaines lettres semblent appartenir aux noms des choses grandes et qui attirent l'admiration », l'auteur affirme que, « lorsqu'un char de triomphe marche à travers un peuple immense, partout sur son passage on entend le son *a* naître, s'accroître, éclater. Les mots *admirable*, *adorable* semblent avoir été formés des exclamations qui retentissent dans les fêtes de la victoire ». Ainsi, par exemple, le *you-you* des femmes arabes ! Conformément à cet ingénieux principe, nous en dirons autant de l'adjectif *abominable*, qui contient autant de *a* que *a*dor*a*ble. *A bas !* tout en *a*, devient l'expression privilégiée de l'admiration des masses.

Ce principe général une fois posé, Brès en conclut qu'il était naturel que « l'amour et l'amitié, qui élèvent notre imagination, fussent formés de la lettre la plus sonore », la voyelle *a*. Par je ne sais quelle discrétion, il ne cite malheureusement point toutes sortes de mots qui, tout glorieux de cette lettre *a* qui élève tellement notre imagination, me viennent immédiatement à l'esprit : *abat*, *baba*, *caca*, *dada*, *fada*, *gaga*, *papa*, *tata*, *rata*, *barbaque*, *pouah!* adorables mots, tout éclatants d'admiration! Je n'oublie ni *rutabaga*, ni *palabre*, ni *macabre*, cent autres mots exaltants, à cause de leur voyelle *a* : *ataxie*, *ataraxie*, *attrape*. Gloire au veston d'*alpaga*, admirable de ses trois *a!* L'embêtant, c'est que, page 182, Brès la voit rouge, cette voyelle entre toutes admirable : « Le son *a* est, dans le langage, ce que la couleur rouge est parmi les couleurs. A Rome, les triomphateurs se peignaient la figure de vermillon. » (Il aurait dû se référer au russe où *krasnoj*, fém : *krasnaia*, signifie à la fois *rouge* et *beau ;* il ne l'a pas fait; tant pis pour lui.) Une langue « bien faite », bien faite selon Brès, « devrait donc toujours employer le son *a* dans les mots destinés à peindre les objets d'une couleur éclatante. Les anciens se servaient de ce moyen pour représenter une corbeille de fleurs et l'éclat du soleil ». Il faut donc juger notre langue très mal faite, puisque *rouge* ne se dit pas *rage*, ni *pourpre*, *parpre ;* alors que *catafalque*, et *alpaga*, qui évoquent l'un et l'autre du noir et du lugubre, abondent en *a*, voyelle entre toutes lumineuse.

« Le son *O*, selon Brès, le dispute quelquefois au son *a* pour retracer l'étonnement et les vives affections de l'âme. On a remarqué que l'*o* se trouve dans la plupart des noms que les divers peuples du monde ont donné au soleil. C'est un effet de l'admiration universelle qu'inspire cet astre. *Bobo*, *coco*, *dodo*, *momo*, *gogo*, *toto*, *zozo*, *loto*, *moto*, *rotor*, *à vau-l'eau*, *drôle de coco*, *zigoto*, autant de mots, vous le sentez, qui retracent l'étonnement et les vives affections de l'âme. Brès nous renvoie ici à ses sources : Court de Gébelin, *Origine du langage et de l'écriture.* J'ai donc relu cet ouvrage, dans mon édition de 1776; j'y trouvai en effet, page 86, que « le son O, cri de l'admiration, devint le nom de la lumière, une des sensations les plus flatteuses : il devint également le nom de tout ce qui cause cette sensation, du *feu*, du *soleil*, des *yeux*, et du sens de la *vue* ». Rafraîchissant ma mémoire infidèle, j'observai que Brès n'avait rien imaginé lui non plus, et qu'il ne faisait, à propos de l'*a*, que suivre Court de Gébelin : « Le son A, le plus haut de tous, désigne l'état dont on est affecté, ce qui nous est propre, par conséquent ce qu'on possède, ce dont on jouit; de même que la domination et la priorité. »

De là vient qu'on dit « il *a* une grosse fièvre », ou « il *a* de grands biens », ou encore « cet équipage est *à* la Reine ». Dans le premier cas, *a* désigne l'état dont on est affecté; dans le second, il désigne ce qu'on possède, dans le troisième il désigne la propriété.

Voilà pourquoi *a* est rouge et pourquoi, selon Brès, « l'*o* peut offrir de l'analogie avec le jaune ». Destinée par Dieu à évoquer la lumière du soleil, la voyelle *o* est jaune puisque, selon Court de Gébelin, « les sons furent destinés par leur nature à peindre ou à désigner les sensations » (p. 84). Brès se prévaut de cet exemple : « Sans être systématique ne pourrait-on pas faire observer que le lever du soleil qui présente de si riches teintes de jaune et de rouge ne pouvait être peint d'une manière plus exacte que par les mots *aurora*, *aura*, aurore, aure? Un poète latin peint ainsi la toison d'or : *Auratus aries colchorum.* » Voilà également pourquoi les îles grecques s'appellent *Délos*, *Claros*, *Ios*, *Lesbos*, *Cos*, *Ténédos* (parce qu'un jour, au xxe siècle, les fanatiques du bronzage s'y rendraient afin d'y adorer le soleil sous le patronage du *Club Méditerranée*).

Pour confondre les incroyants, M. Brès risque son coup de gambit : « Voulez-vous connaître ce que peuvent les voyelles sonores, et surtout l'*a* et l'*o*, pour faire la peinture d'un phénomène brillant ? Lisez le commencement de la cantate de Rousseau intitulée *Céphale* :

La nuit d'un voile obscur couvrait encor les airs,
Et la seule Diane éclairait l'univers,
Quand, de la rive orientale,
L'Aurore, dont l'amour avance le réveil,
Vint trouver le jeune Céphale
Qui reposait encor dans le sein du sommeil... »

Admirez les *o* de v*o*ile *o*bscur et combien l'*o* convient à ce phénomène brillant. L'*o* d'*o*bscur dément les *o* d'*Aurore*, mais Brès ne s'en aperçoit pas.

Ces *o* me renvoient plutôt à Verlaine :

Les sanglots longs
Des violons
De l'automne
Blessent mon cœur
D'une langueur
Monotone.

Monotone automne ; tant d'*o* doivent composer plus d'un soleil : une voie lactée de soleils, de s*o*leils *o*bscurs.

Telles étaient donc, avant Rimbaud, les spéculations sur les couleurs des voyelles. Les mots affectés d'un certain vocalisme seraient fatalement liés à l'expression d'une couleur. *Albâtre*, à cause de ses *a* est donc *rouge* pour M. Brès; ou du moins serait rouge si la langue était bien faite; *plâtre* aussi, par conséquent; et *plâtras*, à plus forte raison.

Un peu plus tard, le critique portugais Feliciano de Castillo allait se livrer au même genre de réflexion sur les voyelles de sa langue. Comme à Brès, à Court de Gébelin, la lettre *a* lui est « l'expression naturelle de l'admiration, de l'allégresse », ainsi que « du respect et de l'enthousiasme ». Pour lui comme pour Brès et Court de Gébelin, le son *o* est franc, énergique : « une sorte d'explosion de l'âme »; il a « un je ne sais quoi de viril, d'actif, de fort et d'impérieux », écrivait Brès. L'auteur du *Tratado de metrificação portuguesa* me surprendrait beaucoup s'il n'avait lu Court de Gébelin ou ce Brès qui parlait des « vives affections de l'âme ».

De même que chez Brès « le son *e* s'emploie avec succès pour peindre les sentiments tristes » (exemples : *gaieté*, *fêté !*) Feliciano de Castillo y voit l'expression naturelle de la « langueur, de la tiédeur, de l'apaisement » (c'était déjà l'opinion de Vossius en ses *Institutions de l'orateur*).

De même qu'après Mersenne en son *Harmonie universelle*, notre Brès affirme que le « *i* est propre à exprimer les choses petites », Feliciano de Castillo affirme qu'en portugais cette voyelle s'associe « aux idées de petitesse ou de tristesse »; à preuve : la plupart des diminutifs portugais se forment « essentiellement » en ajoutant la lettre *i*; sur *flor*, fleur, *florinha*, *florita*, *florica* (fleurette) et sur *porta*, *portinha*, *portita*, *portica*.

De même que chez notre auteur anglais la lettre *u* signifiait le deuil et l'affliction, elle convient en portugais « à la tristesse profonde, et aux objets funèbres : sepulcro, túmulo, fúnebre, fúnerio, lúgubre, carrancudo » (Court de Gébelin y voyait surtout « l'action d'attirer les liquides, de humer »; chez Brès, cette lettre « semble appartenir à la peinture des objets qui offrent une certaine profondeur »). C'est également à l'auteur anglais que nous renvoie Feliciano de Castillo quand il associe à des timbres musicaux chacune de ses voyelles; lieu commun du XVIIIe siècle.

SIXIÈME ET TRÈS GRANDE RÉCRÉATION

(très très instructive)

(Elle permettra notamment à ceux qui ne savent point le portugais de faire comme Valery Larbaud qui se plongea si fort dans un roman de Eça de Queiros qu'au bout du livre il savait lire cette langue.)

Il s'agit du chapitre IX d'un traité de métrique portugaise publié en 1850 par Feliciano de Castillo [1]. Titre portugais, à partir duquel, sans même avoir le génie de Champollion, vous commencerez votre déchiffrement : *Tratado de metrificação portuguesa.* Au reste, je viens de l'interpréter dans les pages précédentes.

Capitulo IX

INDOLE DAS LETRAS VOGAES

I

DA LETRA A

Esta letra é de todas a mais franca.

E a expressão natural da admiração, da alegria, do alvoroço e da ternura. O sentimento de respeito e entu-

1. Je remercie Mme Rita Lopes, qui me révéla ce texte.

sismo para com tudo o que é grande, parece que melhor se exprimirá por termos em que prevaleça o A.

Delille, comentando aquele verso de Vergílio

Omnia sub magna labentia flumina terra

nota como aquelas desinências todas em A combinam com a vastidão e a frescura da ideia.

E ainda Camões :

Bramindo o negro mar de longe brada
como se desse em vão n'algum rochedo.

Mas se o A condiz com a magestade, não condiz menos com os afectos maviosos.

Ouvi outra vez Vergílio no introito do mais dramático livro da Antiguidade, o 4º da Eneida :

At Regina gravi jamdudum saucia cura,
vulnus alit venis, et coeco carpitur igni.

A terminação da parte feminina nos adjectivos triformes dos Latinos, e a que em português lhe corresponde, não teriam a sua origem n'uma espécie de consciência instintiva da « feminidade » do A ?

DA LETRA E

Com menor volume, com menor explosão ressonância e que o A, o E parece incapaz de valor algum onomatópico, ou representativo, a não ser para expressar languidez, tibieza, quietação e ainda os gosos serenos que participam destas qualidades.

DA LETRA I

Se a vogal A que nos abriu a primeira escala dos sons, expressa a grandeza e a alegria, o I, em que a mesma escala termina, parece convirá com as ideias de pequenez e tristeza.

Os diminutivos quase todos se formam em porteguês pela adição essencial de um i : flor, florinha, florita, florica; porta, portinha, portita, portica.

Neste particular havemos que a nossa língua e a castelhana levam vantagem às duas outras de origem latina, e à latina mesma.

Ouvi as mães e as amas extremosas, quando palram com

os, seus pequeninos de mama; dir-se-ia que têm para eles uma linguagem toda miudinha e toda de ii.

Pelo contrário os aumentativos, não só evitam o I, se não que tendem pela sua natureza para o A, o que ainda confirma a nossa teoria : sábio, bêbado, sabich*ão*; beberr*ão*; velha; velh*aça*; casa, casar*ão*; ladr*ão*, ladrav*az*; bruto, brut*az*, etc.

Aos objectos tristes e lutuosos acrescenta o já citado Bluteau convir a letra I : do que aduz para exemplo aqueles versos, que Vergílio põe na boca de Eneas no Livro II, preparando-se para contar a destruição da sua pátria :

Eruerint danai ; quaeque ipse miserrima vidi,
et quorum pars magna fui. . . . .

DA LETRA O

O *O* é na segunda escala das vogais o que o A é na primeira : som franco, rasgado, enérgico, e como que uma explosão de alma. O chamar, o exclamar, por ele se exprimem. Parece ter um não sei quê de varonil e de activo, de forte e de imperioso.

DA LETRA U

É o U um som abafado, que se emite com a boca já quase de todo cerrada. Sumido e soturno, parece convir à desanimação, à tristeza profunda, aos assuntos lutuosos : sepulcro, túmulo, fúnebre, funério, lúgubre, carrancudo.

VI

RECAPITULAÇÃO SOBRE A INDOLE DAS CINCO VOGAIS

O A é brilhante e arrojado; o E ténue e incerto; o I subtil e triste; o O animoso e forte : o U carrancudo e turvo.

Se ousássemos não temer o ridículo compararíamos o tom do A à harpa, o do E ao machete; o do I ao pífaro; o do O à trompa; o do U ao zabumba.

Chapitre VI

L'AUDITION COLORÉE

III. « VOYELLES » ET L'AUDITION COLORÉE

Ainsi, durant toute la première moitié du XIXe siècle, l'Europe continue à spéculer sur les correspondances entre sons et couleurs. La physique de Newton, les balbutiements de la linguistique se perpétuent en ces naïvetés. Qu'avons-nous gagné à ces excursions ?

D'une part de ne plus nous émerveiller quand un écrivain, ou écriveur, attribue à des voyelles une couleur, un timbre musical; d'autre part, de réduire à de modestes proportions le prétendu coup de génie de *Voyelles*. Nous pressentons déjà que Rimbaud n'a fait que formuler, à sa façon (provocante, et même provocatrice) mais sans lui donner aucune suite, une idée qui couvait depuis un siècle au moins. Idée banale en effet; non point à force d'être vraie; à force hélas d'être fausse. Idée que diverses personnes un peu plus connues que notre Brès n'avaient pas dédaigné de faire leur.

Le 26 août 1950, Henri Guillemin publiait dans

Le Figaro littéraire une étude intitulée : *Un document inédit, Hugo déjà, avant Rimbaud, donnait une couleur aux voyelles « qu'un rayon de soleil fait éclore ».* Comme ce n'est pas son propos, Guillemin ne se donne pas la peine de rappeler, mais je puis me le permettre, que le même Hugo s'amusait volontiers avec son alphabet : ainsi dans les *Chansons des rues et des bois*, publiées en 1865.

L'amour veut que sans crainte on lise
Les lettres de son alphabet ;
Si la première est Arthémise,
Certes la seconde est Babet.

ou bien :

Quand leur tendresse a commencé,
Notre servitude est prochaine.
Veux-tu savoir leur ABC ?
Ami, c'est Amour, Baiser, Chaîne.

ou encore :

J'étais jadis à l'école
De ce pédant, le Passé ;
J'ai rompu cette bricole ;
J'épelle un autre ABC.

Guillemin nous révélait une page de prose, qu'il date de 1849-1850 — contemporaine par conséquent du texte de Feliciano de Castillo : « Ne penserait-on pas que les voyelles existent pour le regard presque autant que pour l'oreille et qu'elles peignent des couleurs ? On les voit. A et I sont des voyelles blanches et brillantes. O est une voyelle rouge. Et EU sont des voyelles bleues. U est la voyelle noire. » Observez que le mage ne fait que s'approprier les idées en vogue. Si le U est *noir*, c'est parce qu'il exprime le *deuil* chez Castillo et chez Brès. A lui est *brillant*, comme chez Brès, où il marque les objets de couleur éclatante. Ne négligez point au passage l'étonnante erreur d'un poète qui, victime de la confusion entre lettres-voyelles et sons-voyelles, parle de EU comme de *deux* voyelles alors qu'il s'agit d'une voyelle, ou plutôt de la notation graphique de plusieurs sons-voyelles (reportez-vous à la *deuxième petite récréation* pp. 42-44), qu'en allemand par exemple on écrit : *ö*, en danois : ø. Pour peu que vous réfléchissiez une seconde encore à cet EU de couleur *bleue*, comment ne découvririez-vous pas que le mot *bleu* contient précisément le son *eu.* (Nous aurons l'occasion d'y revenir; sûrement.) La couleur des voyelles occupait donc alors les meilleurs esprits, et les pires.

En doutez-vous ? A l'âge de dix-sept ans, mais douze ans avant Rimbaud, car il était né en 1842 (ne mourrait qu'en 1927), l'écrivain danois Georg Brandes, qui disposa d'un grand crédit en Europe à la fin du XIXe et au début du XXe siècle, composa lui aussi son poème sur la *couleur des voyelles.* Le voici avec sa traduction française que voulut bien m'en faire, voilà vingt ans bientôt, mon camarade Barthélemy Taladoire.

VOKALFARVERNE

Ja, Digteren er Maler ; en Pensel er hans Pen ;
hans Farver er de brogede Vokaler.
En Seer lig han stiller sig for sit Laerred hen ;
med Sprogets Paletpragt han maler.

Men Den, hvis Blik er sløvt og hvis Farvesans er kold,
han ser ej Maleriets Farver flamme ;
imellem ham og Billedet er evig rejst en Vold
af Taage, saa de tykkes graa og tamme.

Han hører Lyden A, men han skuer intet Rødt;
E er ej hvidt for slige Sansers Raahed.
Det gule I, der skinner som Guld, for ham er dødt;
han føler ikke U'ets dybe Blaahed.

For ham er Vokalen det døde Ciffer blot,
det Ord, der maler, Tegn, men aldrig Billed.
For ham er Regnbuherligheden bare Graat i Graat,
han fatter ej hvad Kunstneren har villet.

Men Ordet har ej Klang blot, har Lød og Duft dertil,
og friske Sanser fordres, vil man nyde
den smeltende Ynde, det rige Farvespil,
hvormed en Kunstners Sprog kan Hjertet fryde.

Har Du da ikke Sanser, kan ej betages saa,
end ikke se det Skjaer, Vokalen arver,
saa last ej Maleriet, du ej forstaar dig paa,
det Maleri, hvorpaa di ej ser Farver.

Januar 1859.

LES COULEURS DES VOYELLES

Oui, le poète est peintre; il a sa plume pour pinceau;
Ses couleurs sont les voyelles bigarrées.
Semblable à quelque voyant, il s'installe devant sa toile;
avec la prestigieuse palette du Verbe, il peint.

Mais celui-là dont le regard est émoussé et refroidi le sens de la [couleur,
ne saurait voir flamber les tons de la peinture;
entre l'image et lui flotte toujours un tel obstacle
de brouillard, que l'objet lui paraît gris et terne.

Il entend le son A, mais ne voit rien de rouge,
E n'est pas blanc pour un esprit aussi grossier.
L'I jaune, et qui brille pareil à l'or, pour lui est mort;
il ne perçoit pas le bleu profond de l'U.

Pour lui la voyelle n'est rien de plus qu'un chiffre mort,
le mot qu'il peint, un signe, n'est jamais une image.
Pour lui l'arc-en-ciel, sa splendeur, ne sont que gris sur gris,
il ne comprend pas ce qu'a voulu l'artiste.

Mais le mot n'est pas seulement un son, il a ton et odeur aussi ;
il faut des sens naïfs, si l'on veut jouir
de l'harmonieuse richesse et du jeu opulent des couleurs,
par quoi la langue d'un artiste peut réjouir le cœur.

Si tu n'as pas de sens, si tu es rebelle à cette séduction,
et si tu ne vois pas la splendeur donnée à la voyelle,
n'accuse pas la peinture, que tu ne saurais comprendre,
cette peinture dont tu ne vois pas les couleurs.

Janvier 1859.

D'après les renseignements que me communiquèrent en 1949 mes collègues danois les professeurs Svend Johansen, Paul Rübow, Paul Krüger, le poème en question ne parut jamais avant le recueil des *Ungdomvers* ou *Vers de jeunesse*, qui date de 1898. Rimbaud ne pouvait donc connaître ce texte. Que nous importe, puisque nous savons maintenant que, de 1820 à 1870, la couleur des *Voyelles* est un des lieux communs de la littérature européenne. Si donc, le 26 janvier 1914, à l'occasion de son discours à Sophus Michaëlis, Georg Brandes eut raison de signaler qu'il avait célébré la couleur des voyelles dix ans au moins avant Rimbaud, il a tort de laisser supposer que c'était lui l'initiateur : « J'aime Rimbaud, dira-t-il plus tard à Frédéric Lefèvre, rédacteur en chef des *Nouvelles littéraires*, et je me suis rencontré avec lui, j'ai écrit un poème sur la couleur des voyelles ; c'était longtemps avant lui. » Longtemps avant Rimbaud, oui; longtemps après Feliciano de Castillo, Brès, Hugo (pour ne citer que quelques noms).

Qui nous empêche de dresser maintenant un premier tableau récapitulatif des « correspondances » Tableau de concordance ? ou de discordance ? Qu'on en juge :

AUTEURS	A	E	I	O	U	Y	EU	AU
Court de Gébelin (XVIIIe siècle)	domination	vie être	aide puissance	lumière	humidité			
Virgile d'après un Anglais (1821)	blanc	bleu	jaune	rouge	noir			
Brès (1822)	rouge	triste	petit	jaune	profond			
Hugo (1840-1850)	blanc		blanc	rouge	noir		bleu	
F. de Castillo (1850)	clair féminin	langueur	petit triste	franc viril	deuil			
Brandes (1854)	rouge	blanc	jaune		bleu profond			
RIMBAUD (1871)	noir	blanc	rouge	bleu	vert	bleu violet		
Legrand (1889)	rouge	blanc	jaune	noir	vert			
Vigié-Lecocq (1896)	rouge	blanc	bleu	jaune	vert			
Fletcher (1913)	noir et blanc	vert	bleu	pourpre et jaune	vert			
Caruel (1924)	noir	blanc	rouge	bleu	vert			
Vocance	calme	névrosé	orgiaque	jovial	lugubre			
Poème antérieur à 1911	rouge	blanc	noir	jaune	brun	noir	blanc sali	rouge capucine

Le seul écrivain qui s'accorde avec un autre, (Caruel, avec Rimbaud) c'est parti pris ardennais, ou modestie de l'apprenti devant le plus grand homme que la terre ait jamais porté, comme dit de Rimbaud M. Jean-Paul Vaillant.

Il est donc puéril de se demander chez qui Rimbaud a pu emprunter l'idée de ses deux premiers vers : il l'a ramassée au ruisseau.

En revanche, il convient de se demander pourquoi ce poème, dont un vers formule avec arrogance un cliché, obtint en 1884 et longtemps après encore, tant de succès ?

C'est qu'alors tout le monde donnait dans ce qui était alors la nouvelle critique, la nouvelle poétique. Si Kurt Otto Weise, par exemple, a pu étudier en 1938 le rôle des synesthésies dans Balzac, c'est qu'en effet elles abondent chez ce romancier. Dix-huit ans avant *Voyelles*, le 10 juillet 1843, Théophile Gautier publiait dans *La Presse* son feuilleton théâtral. Comme il se trouvait à quia par la faute du programme qu'il recensait, il conta sa première rencontre avec le hachiche. Comme le rappelle É. Noulet, c'est là qu'on trouve la phrase si souvent reprise depuis lors : « Mon ouïe s'est prodigieusement développée; j'entendais le bruit des couleurs : des sons verts, rouges, bleus, jaunes m'arrivaient en ondes parfaitement distinctes. » Dans *Le Club des Hachichins*, Gautier revient sur cette expérience : « Mes doigts s'agitaient sur un clavier absent; les sons en jaillissaient bleus, et rouges, en étincelles électriques. » É. Noulet estime qu'il est « à peu près sûr » que Rimbaud lut ce texte-là, soit dans *La Revue des Deux Mondes* du 1er février 1846, soit dans *La Partie carrée*, de 1851, soit dans *Romans et contes*, de 1863. Elle se demande s'il avait pu dénicher le texte publié vingt ans plus tôt dans *La Presse* et qui ne fut réimprimé que beaucoup plus tard, dans *L'Orient*. Mais pourquoi Rimbaud n'aurait-il pas lu Brès, par exemple ? Je l'ai bien rencontré, moi, par ce « hasard » qui seconde l'indiscret, le curieux, ou l'obstiné. Si d'autre part nous en croyons la *Saison* : « Dans un grenier où je fus enfermé à douze ans, j'ai connu le monde, j'ai illustré la comédie humaine ») il a pu lire aussi du Balzac; ceci par exemple, dans *Louis Lambert* : « Toutes choses qui tombent par la Forme dans le domaine du sens unique, la faculté de voir, se réduisent à quelques corps élémentaires dont les principes sont dans l'air, dans la lumière ou dans les principes de l'air et de la lumière. Le son est une modification de l'air; toutes les couleurs sont des modifications de la lumière; tout parfum est une combinaison d'air et de lumière; ainsi les quatre expressions de la matière par rapport à l'homme, le son, la couleur, le parfum et la forme, ont une même origine, car le jour n'est pas loin où l'on reconnaîtra la filiation des principes de la lumière dans ceux de l'air. »

Mais rien ne prouve non plus, n'indique même que Rimbaud ait lu ces lignes de Gautier, cet alinéa de Balzac. En revanche, nous savons qu'il a lu Glatigny, dont en composant *Mes petites amoureuses* il a cruellement bafoué *Les Petites Amoureuses*. Dans *L'Art poétique de Thérèse*, qui date de 1864, il a donc lu ces deux vers :

> *J'accouple des mots jaunes, bleus ou roses,*
> *Où je crois trouver de jolis effets.*

Émilie Noulet a raison d'en condamner la « charmante frivolité ». S'ensuit-il que ces vers n'aient pu avoir aucune influence (ainsi qu'elle le suggère) sur l'art poétique du jeune Rimbaud ? En tout cas Rimbaud les a lus.

A la vérité, peu me chaut. Au temps de Rimbaud, nul ne pouvait échapper à cette manie des *correspondances*. Depuis la thèse médiocre que Barre commit sur le symbolisme, en 1911, tout le monde se réfère à un texte qu'il rapporte et que Léon Gozlan écrivait le 9 mai 1841 : « Comme je suis un peu fou, j'ai toujours rapporté, je ne sais trop pourquoi, à une couleur ou à une nuance, les sensations diverses que j'éprouve. Ainsi, pour moi, la piété est bleu tendre; la résignation est gris perle; la joie est vert pomme, etc. » La satiété devenant pour lui café au lait; le plaisir, rose velouté; le sommeil, fumée de tabac; la réflexion, orange. Pour l'avoir relue partout, dans tous les livres, tous les articles sur Flaubert, nous nous rappelons aussi ce que relatent les Goncourt dans leur *Journal* le 17 mars 1861 : « Flaubert nous disait aujourd'hui : *L'histoire, l'aventure d'un roman, ça m'est égal. J'ai la pensée, quand je fais un roman, de rendre une coloration, une nuance. Par exemple, dans mon roman carthaginois* (Salammbô) *je veux faire quelque chose de* pourpre. *Dans* Madame Bovary, *je n'ai eu que l'idée de rendre un ton, cette couleur de moisissure de l'existence des cloportes.* » Préludant au *pianocktail* de Boris Vian dans *L'Écume des jours*, l'orgue à bouche de Des Esseintes, avant même la publication de *Voyelles*, fait par l'absurde le procès du démon de l'analogie : « Chaque liqueur correspondait au son d'un instrument. Le curaçao sec, par exemple, à la clarinette dont le chant est aigrelet et velouté; le kummel au hautbois, dont le timbre sonore nasille; la menthe et l'anisette à la flûte, tout à la fois sucrée et poivrée, piaulante et douce; tandis que, pour compléter l'orchestre, le kirsch sonne furieusement de la trompette. » Etc.

Dès sa préface de 1868 aux *Fleurs du Mal*, Théophile Gautier raillait ceux qui prétendent que « le bleu est moral et l'écarlate indécent »; mais affirmait sans rire que « si on les transposait dans la sphère des couleurs », les vers de Baudelaire « représenteraient l'or et la pourpre ».

La médecine s'en mêlait. Vingt ans avant cette préface de Gautier, le docteur Édouard Cornaz baptisait *hyperchromatopsie* cette sensation anormale des couleurs qu'avait observée sur soi un jeune médecin albinos mort à vingt-huit ans, le docteur Sachs. A l'en croire, sa sœur et lui-même attribuaient invinciblement des couleurs aux voyelles, à toutes choses. Avant de mourir, le docteur Sachs avait composé à ce sujet en 1812 une thèse de médecine : *Historia naturalis duorum leucoethiopum auctoris ipsius et sororis ejus (Histoire naturelle de deux albinos, l'auteur lui-même et sa sœur)*, traduite en allemand douze ans plus tard sous le titre *Ein Beitrag zur näheren Kenntniss der Albinos (Contribution à une connaissance plus intime des albinos)*. Les textes littéraires auxquels je me référais, celui de Brès et celui de l'Anglais que cite Martino, datent de 1822 et 1821. A quel point la médecine et la littérature réagissent l'une sur l'autre! Le travail du docteur Cornaz fut mentionné en France en 1860, dans une thèse du docteur L. V. Marcé sur *Des altéra-*

tions de la sensibilité; avec plus de détail, par le docteur Perroud, de Lyon, dans un travail publié en 1863 sur l'*hyperchromatopsie.* L'année suivante, la même revue *(Mémoires et comptes rendus de la Société des sciences médicales de Lyon)* divulguait un article du docteur Chabalier sur la *pseudo-chromesthésie.* Il y analyse le cas d'un de ses amis, médecin lui-même, pour qui l'I et le chiffre 5 étaient rouges, et qui faisait correspondre des couleurs aux jours de la semaine, aux mois et aux noms propres. De la philosophie chinoise à Marcel Proust, qui ne s'est abandonné à ces facilités? L'*hyperchromatopsie* conquiert vite droit de cité; le *Dictionnaire de médecine* de Littré, qui renvoie du reste à Cornaz et Mackenzie, parle de *pseudo-chromesthésie*, avec renvoi, cette fois, à l'article de Chabalier : « Anomalie de la perception des impressions visuelles dans laquelle les voyelles paraissent colorées chacune d'une teinte différente; leur réunion donne aux mots une coloration particulière d'après les assemblages de voyelles qui les composent. Parfois elles sont perçues avec leur couleur noire, mais aussitôt cette perception suscite l'idée d'une couleur, rouge pour l'*a* par exemple, rose pour l'*e*, blanche pour l'*i*, etc. »

Littré résume ici la thèse de Sachs, pour qui l'A était rouge, l'E rose, et blanc l'I. Des travaux qu'étudia É. Noulet, c'est le seul qui donne les concordances du *Littré* médical. Voici en effet le tableau de discordance en médecine :

Auteurs	A	E	I	O	U
Sachs (voyelles allemandes, 1812)	rouge vermillon	rose	blanc	orange	*ou* noir *u* bleu
Jal. d'Oppenheim (voyelles allemandes, 1849)	rouge pâle	blanc bleuâtre	jaune	noir	brun foncé
Perroud (voyelles françaises, 1863)	jaune orange	gris bleuâtre et perle	carmin	jaune serin	brun sombre
Chabalier (voyelles françaises, 1864)	noir	gris	rouge	blanc	glauque

Si fort que j'admire Émilie Noulet, quelque profit que j'aie tiré de sa longue étude sur *Voyelles*, je ne puis la suivre quand elle soutient que Rimbaud, qui « n'a utilisé aucune donnée scientifique », a « inventé d'un coup ce que la science pressentait, tandis que, tâtonnant, la science préfaçait la poésie dans un effort parallèle. » Les textes que je produis, et qui prouvent qu'avant 1870 c'est à qui, dans les lettres, donnerait aux voyelles des couleurs, m'imposent de conclure tout autrement. Disons seulement qu'alors que le poème de Brandes n'a pas fait de bruit, malgré la réputation de ce critique, parce qu'il était écrit en danois, le mythe de Rimbaud, si naïvement desservi par Verlaine dans son juste désir d'imposer son ami, nous incite à tout croire et notamment que Rimbaud « inventa d'un coup » l'audition colorée.

Si la médecine en est là vers 1870, et puisque chaque écrivain, chaque médecin propose un système d'équivalences dont bien audacieux qui prétendrait choisir le meilleur, ou simplement le plus plausible, ceux-là prouvent leur sottise qui veulent déduire de l'*audition colorée* une esthétique.

Rimbaud s'en garde bien, lui. En dépit de cette *lettre du Voyant* où il ressasse les clichés de son temps, plagie Baudelaire, ses *Voyelles* sont fort en retrait par rapport aux ambitions des *Correspondances* (poème qui ne fait que systématiser les clichés les plus banals (idées *noires*, voix *blanche*, couleurs *criardes*).

C'est pourtant *Voyelles* qui devient, et pour un siècle, une de nos tartes à la crème. Ce sont ces quatorze vers qui vont en effet devenir, comme l'écrit le docteur Jules Millet, un « puissant agent de vulgarisation de l'audition colorée en France ».

Tandis que Rimbaud brûle en quelques dizaines de mois toute sa vie littéraire, la curiosité des médecins, alertés depuis le début du XIXe siècle, continue à scruter les *dyschromatopsies*, cependant que *Voyelles* reste inédit.

En 1873, c'est un médecin autrichien, le docteur Nüssbaumer qui, dans une revue de Vienne, publie un essai sur les sensations subjectives de couleur qui sont produites par une sensation objective de l'ouïe. La même année, un autre médecin de Vienne, le docteur Benedikt, suggère avec prudence que mieux vaudrait ne point trop expérimenter sur soi-même ces prétendues sensations, qui ne peuvent être qu'anormales, ou pathologiques. La même année encore, dans la *Revue médicale française et étrangère*, Pedrono relate la querelle, et paraît en Italie la *Fisiologia dei colori* où Lussana s'occupe de l'affaire. Trois ans plus tard, l'article *Rétine* du *Dictionnaire encyclopédique des sciences médicales* se réfère à cette hypothèse. En 1878, un Suisse, étudiant à Zurich, voit en couleurs voyelles et diphtongues; avec son collègue Lehmann, il interroge 596 personnes, dont 76 présenteraient nettement des associations ou des confusions sensorielles.

En 1881, peu avant la publication des *Voyelles* de Rimbaud, le *London Medical Record* parle de *colour-hearing* qui réussira en France, vaincra les mots barbouillés de grec, et nous fournira l'*audition colorée*. Entre la date où Rimbaud composa son sonnet et celle où Verlaine le divulgua, la couleur des *Voyelles* est débattue dans tous les milieux médicaux. Tout ce que je constate c'est qu'à partir de 1884, le mythe de Rimbaud aidant, *Voyelles* donne à l'affaire un regain de verdeur.

Tout le mouvement qui s'appellera et qu'on appellera « symboliste » se réclamera de cette « vraie déclaration de foi » : le premier vers de *Voyelles*, comme dit Maupassant en 1890 (*La Vie errante*). S'il arrive à Remy de Gourmont de ridiculiser les « correspondances » dans *La Plume*, le 1er février 1892, en parodiant salacement les *Voyelles* :

— *Tout cela est bien malpropre !*
— *Comme la vie, ma chère âme, comme la vie !...*

il lui arrive également de juger Homère un peu bien « primitif » en ceci qu'il se trouve « en contradiction absolue avec nos tendances *synesthésiques* ». C'est le 30 janvier 1886 que Gounod demande à son élève Mme Strauss : « Donnez-moi une note lilas »; c'est le 15 juillet 1891 que les Goncourt rapportent dans leur *Journal* que Zola prenait la défense des symbolistes et du coup s'attirait ce qu'ils appellent une « jolie blague » de François Coppée : « Comment, maintenant, vous Zola, vous vous occupez de la couleur des voyelles! » Ce qui ne les préserve pas de succomber à la mode, car on lit dans ce même *Journal* cette niaiserie : « Je voudrais trouver des touches de phrases semblables à des touches de peintre dans une esquisse, des effleurements, des caresses, des glacis de chose écrite. » Comme si Maurice Peyrot avait été fondé à écrire dès 1887 que ces *Voyelles* constituaient en vérité « le premier manifeste de l'école symbolique ». En vulgarisant ainsi la vieille passion unitaire de tous les hommes, Rimbaud stimula donc la recherche médicale et, par une façon de choc en retour, contribua heureusement à contrebattre son influence.

Dès 1890, l'ouvrage du docteur Suarez de Mendoza sur l'*Audition colorée, étude des fausses sensations secondaires physiologiques et particulièrement les pseudo-sensations de couleur associées aux perceptions objectives des sons* reprenait en l'aggravant la distinction établie en 1873 par le docteur Nüssbaumer. Dans l'un et l'autre essai la perception du son est qualifiée d'*objective ;* quant aux sensations visuelles correspondantes, que Nüssbaumer se borne à dire *subjectives*, elles deviennent chez Suarez de

Mendoza de « pseudo-sensations de couleur ». Pour peu que l'on étudie quelques-uns des tableaux dressés après la publication de *Voyelles*, par ceux qui prétendaient enquêter sur l'*audition colorée*, comment pourrait-on prendre au sérieux ces prétentions unitaires ?

Voici le tableau de Grüber (*a*) :

A	E	I	O	U
6 noir	6 blanc	7 jaune	6 brun	10 noir
5 bleu	4 vert	6 rouge	6 rouge	3 violet
5 blanc	3 gris	3 bleu	3 noir	2 bleu
2 rouge	4 jaune	2 vert	2 jaune	5 brun
2 gris	3 bleu	2 blanc		
2 brun				

(*a*) Le chiffre qui précède chaque couleur donne le nombre des personnes qui voient la voyelle de cette couleur-là.

qui s'oppose merveilleusement à celui de Jean de Cours :

A	E	I	O	U
5 rouge	5 gris	4 jaune	6 jaune orange	10 vert
2 blanc	1 vert	3 rouge	1 bleu	
1 bleu	1 marron	1 vert	1 noir	
1 gris				

Voici encore celui que composa Flournoy, après avoir examiné 1 076 personnes :

Couleurs	A	E	I	O	U	OU
Sans	9	6	12	9	7	9
Blanc	52	29	43	16	1	1
« Grau »	4	27	6	6	7	17
Noir	45	11	16	26	13	10
Brun	6	6	2	17	21	34
Rouge	50	14	49	38	12	18
Jaune	11	38	28	42	15	9
Vert	3	17	19	12	53	11
Bleu	26	36	19	6	24	12
Violet	3	2	2	6	21	12
Totaux	209	186	196	178	174	133

Page 54 de son *Audition colorée*, le docteur Jules Millet à son tour dresse un autre bilan de la couleur des voyelles. Voilà de quoi justifier tous ceux qui ont su déchiffrer dans *Voyelles* une part de fumisterie (le premier vers, et même le second). D'Anatole France à Benedetto Croce, la liste serait longue, et fastidieuse, de ceux qui n'ont pas marché. Je dirai pourtant quelques mots à ce sujet. Selon Anatole France, les *Voyelles* de Rimbaud n'ont pas « le sens commun. Mais les vers en sont amusants et curieux. Ils n'ont pas de sens, mais plus j'y songe et plus je me persuade que les vers n'ont pas besoin d'avoir un sens. » Nous sommes en 1891. Deux ans plus tard, Coppée enchérit :

Rimbaud, fumiste réussi,
— Dans un sonnet que je déplore —
Veut que les lettres O. E. I.
Forment le drapeau tricolore.
En vain Le Décadent *pérore...*

Vers de mirliton, tant que vous voudrez; mais l'idée vaut mieux que le poème et que les *Vowels* de John Gould Fletcher. Puis ce fut à Brunetière de dénoncer en 1894 les « plaisanteries dans le goût du sonnet des *Voyelles* ». En 1898, Arthur Symons lui-même, l'un des prédicateurs du premier mythe de Rimbaud, tient celui-ci pour l'enfant terrible de la littérature « playing pranks (as in that sonnet of the *Vowels*) »; pour un farceur par conséquent, qui se moque du monde dans le sonnet des *Voyelles*. Fantaisie, mystification, répètent MM. Spronck, Pellissier, René Ghil, Fort et Mandin, dix autres. « Extravagant amusement sur l'alphabet », « vain jeu de l'esprit

[...] laborieuse gageure »; Rimbaud « s'amuse »; il est infiniment ridicule (« immensely ridiculous ») et le premier vers de *Voyelles* est tout bonnement idiot (« semplicemente stupido »). Ainsi en ont décidé André Beaunier, François Ruchon, Harold Nicolson, Benedetto Croce. Si ancrée en certains esprits la volonté de ne pas prendre au sérieux les quatorze vers de *Voyelles*, que M. Walter Brinkmann oublie que le symbolisme n'existe pas en 1871 quand Rimbaud composa son exercice, et justifie tant bien que mal le sonnet en y célébrant un « persiflage » des symbolistes (dass dieses Sonett nur als Persiflage der "Symbolisten" gemeint gewesen sei). Ce qui serait vrai de la *Parabase* de Léon Tailhade *à la manière des plus accrédités rimeurs de ce temps-ci ;* ce qui ne saurait définir un texte composé quinze ans au moins avant le manifeste symboliste.

Et Jules Lemaitre, que j'allais omettre : « [...] si l'on vous disait que ce misérable Arthur Rimbaud a cru, par la plus lourde des erreurs, que la voyelle *U* était verte, vous n'auriez peut-être pas le courage de vous indigner ; car il vous paraît également possible qu'elle soit verte, bleue, blanche, violette et même couleur de hanneton, de cuisse de nymphe émue ou de fraise écrasée. »

Lemaitre, Coppée, Anatole France... je sais à quoi je m'expose en affirmant que, dans cette « affaire » de l'audition colorée, c'est eux qui avaient raison, avec Croce en Italie. Leur contesterez-vous le droit de penser là-dessus au moins comme Verlaine qui, tout en appréciant « l'intense beauté de ce sonnet », le jugeait « un peu fumiste » et déclarait que Rimbaud « se foutait pas mal » de savoir si la voyelle *A* était rouge ou noire. Leur contesterez-vous le droit de penser là-dessus comme Rimbaud, lequel, dans la *Saison en enfer* se moque de ces deux vers : « J'inventai la couleur des voyelles ! », avec ce point d'exclamation qui dans le contexte en dit long.

Comme s'ils n'avaient point lu Rimbaud, d'autres maniaques appliqueront la « méthode » aux consonnes. Dans une *Phonologie esthétique* qui date de 1898, J.-E. Blondel extrapolait : « le *r* est fauve; le *l* cristallin, transparent, limpide; le *n* corné, sombre, simplement translucide; le *m*, d'une blancheur d'ivoire, etc... » Ce que faisant, il se bornait à divaguer en combinant Arthur Rimbaud et Augustin Piis ou de Piis (1755-1831), lequel composa tout un poème pour attribuer aux bruits consonantiques une valeur affective, *Harmonie imitative :*

L'M à mugir s'amuse et meurt en s'enfermant ;
L'N au fond de mon nez s'enfuit en résonnant.

L'M aime à murmurer ; l'N à nier s'obstine.
L'N est propre à narguer ; l'M est souvent mutine.

De Piis avait sûrement lu Court de Gébelin qui, dans son *Histoire naturelle de la parole ou précis de l'origine du langage et de la grammaire universelle* (1776) s'intéresse à la symbolique des consonnes : « Viennent ensuite les deux labio-nazales [*sic*] *M* et *N*. Intonation d'un même organe, on les employa nécessairement à désigner deux idées correspondantes soit par leur signification, soit par leur figure.

» *M* désigne dans toutes les Langues, l'idée de *Mère*, de maternité, d'Être productif et fructifiant. *N* désigne l'idée de *Fils*, d'Être produit ou *né*, l'idée de fruit, de tout ce qui est tendre et nouveau.

» On a donc représenté *M* en caractère hiéroglyphique sous la forme d'un arbre, d'une plante, d'une personne qui élève les bras pour porter son nourrisson, ou pour cueillir du fruit : et par le même motif, on a représenté *N* sous la figure d'un fruit encore attaché à l'Être auquel il doit la naissance. » Du caractère « nasal » de ces deux consonnes, Court de Gébelin déduit que le *n* exprime la naissance, le fruit, le fils, alors que Piis, n'ayant pas pensé que *n* est la première lettre du mot *né* y voit plutôt la première lettre du verbe *nier* :

L'N à nier s'obstine

Je pourrais les mettre d'accord en dissertant savamment sur la dialectique de l'être et du néant selon la consonne *n* : n'est-il pas évident que de *né* à *néant* la route est brève et passe par *nier?*

Qui m'empêcherait d'écrire aussi bien, aussi mal :

L'M est morne, morose et morbide : monotone

ce qui semblera une charge. Pas le moins du monde, ou alors ceci en est une :

Renouvelé du grec, l'X excitant la rixe

Or vous lirez ce vers chez Augustin de Piis; à quoi je préfère

Renouvelé du grec, l'X excitant la Nixe

ou si vous préférez, pour rendre le vers plus mutin :

Renouvelé du grec, l'X excitant les Nixes

Suffit. La seule excuse de Rimbaud, c'est qu'il sut se désavouer dans *Alchimie du Verbe*. Quand il écrivait à Paul Demeny : « des faibles se mettraient *à penser* sur la première lettre de l'alphabet, qui pourraient vite ruer dans la folie », il ne savait pas si bien dire. Pour prophète qu'on le juge, il n'avait pas prévu René Ghil [1].

1. Je n'ai point cité toutes mes références à cette folie du siècle : ni l'*audition odorante ;* ni ce bibliophile qui avait relié ses livres en « harmonisant autant que possible la teinte du maroquin avec le sentiment du texte » (*bleu* pour romans intimes, *vert* pour romans champêtres, *citron* pour les satires, les épigrammes); ni l'occultiste Sareptor Basilis que met en scène Thornton Wilder dans *The Cabala*, et qui fonde un système musical avec des notes colorées; ni Ernst Jünger, ses *Blätter und Steine*, où il explique (sérieusement je le crains) que le son *ei* de l'allemand exprime une exaltation vers le sublime : *Weisheit*, *Zauberei* (sagesse et magie) qu'il cite, mais aussi *Polizei*, *Schweinerei* (police, cochonnerie) qu'il ne cite pas; ni le cas pathologique de synesthésie auditivo-gustative, observé chez un Italien, selon lequel, la *glace* évoque *Blaise*, et *asperges*, *Gaspard* (parce que, tout bêtement, *Biagio*, *Blaise* en italien, appelle en effet *ghiaccio*, *glace*, et *Gaspare*, *asparagi*). Etc.

SEPTIÈME RÉCRÉATION

(instructive)

GOMES LEAL (né en 1848, mort en 1921)

Extrait de *Claridades do sul* (ouvrage publié pour la première fois en 1875).

O VISIONARIO OU SOM E COR

III

Alucina-me a cor ! — A Rosa é como a Lira
A lira pelo temps há muito engrinaldada,
E é ja velha a união, a núpcia sagrada,
Entre a cor que nos prende e a nota que suspira.

Se a terra, às vezes, brota a flor que não inspira,
a teatral camélia, a branca enfastiada,
muitas vezes no ar perpassa a nota alada
como a perdida cor de alguma flor que expira...

Há plantas ideais dum cântico divino
irmãs do oboé, gémeas do violino,
há gemidos no azul, gritos no carmesim...

A magnólia é uma harpa etérea e perfumada.
E o cacto, a larga flor, vermelha, ensanguentada,
— Tem notas marciais, soa como un clarim.

Chapitre VII

L'INSTRUMENTATION VERBALE

Tout esprit raisonnablement constitué et passablement informé pouvait donc, dès 1890, réagir contre cette fumisterie : la prétendue esthétique de l'audition colorée.

Si Coppée, Lemaitre, Anatole France, quelques autres, surent s'opposer à la folie qui dévoya tant d'esprits dont on pouvait attendre mieux, presque tous ceux qui se rassemblaient dans les milieux qu'on appellera *symbolistes* accordent à l'audition colorée une importance, ou du moins une attention qui, trois quarts de siècle plus tard, nous paraît peut-être déconcertante : « Il est de fait que le rêve de la "fusion des Arts ", depuis quelque trente ans, ne hante plus guère l'imagination de nos contemporains; d'ailleurs, c'est avec les peintres plutôt qu'avec les musiciens que les représentants des jeunes écoles ont fait alliance » (Marcel Raymond, *De Baudelaire au surréalisme*, 1933). C'est en effet vers 1900 que l'on cesse de se passionner pour l'*audition colorée*. S'il est vrai que l'audition colorée fit long feu, les correspondances ont continué à séduire certains esprits : poètes et linguistes perpétuent l'erreur ancienne, ce qui m'impose de nuancer la remarque de Marcel Raymond. Dans son étude fameuse sur *Symbolic value of the vowel I*, qui parut à Londres dans *Philologica*, vol. I, en 1922, fut reprise par Leo Spitzer en 1929, et à laquelle il ne dédaigna pas de faire un sort dans ses *Linguistica*, Jespersen a cru pouvoir élaborer, ou du moins suggérer, un symbolisme des sons. Revenant aux prétentions de Court de Gébelin, et de ceux qui s'en inspirèrent [1], il prétend que le son *i* sert souvent « à désigner ce qui est petit, léger, insignifiant ou faible ». Il précise toutefois qu'il ne prétend point que toute voyelle *i* soit associée à la petitesse, à ce qui est léger. Il cite même le *thick* et le *thin* de l'anglais pour expliquer que la *minceur* et l'*épaisseur* disposent là d'une même voyelle : *i*. Je vois mal en quoi *ibis*, *hibiscus*, *irrité*, *imiter*, *inimitable*, *inintelligible*, *inimitié*, *initiative*, *infini*, *infinité*, *infiniment* désignent des choses petites, insignifiantes; en quoi *inique*, *iniquité* ou *inimaginable* désignent des choses légères ou faibles; en quoi *indistruttibile*, *indistruttibilità* avec leurs quatre ou cinq *i*, désignent des choses faibles; en quoi *irrlicht*, *irrsinn*, *irrsinnig*, qui en allemand signifient *feu follet*, *égarement d'esprit*, *fou*, sont mots légers. Si maintenant j'ouvre mon dictionnaire chinois au son *pi*, je découvre qu'il signifie, notamment : *particule emphatique*, *certitude*, *nécessairement*, *tous ensemble*, *contraindre*, *foule*. Quant au son *p'i*, je le trouve associé avec les sens de *grand*, *distingué*, *mettre à mort*, etc. tous concepts

1. Lorsque Claudel prétend que le mot toit, avec ses deux *t*, dessine un toit toit il ne fait qu'illustrer Court de Gébelin : « Un toit fut la peinture du T. »

qui n'ont avec la petitesse, l'insignifiance ou la légèreté que peu, ou même très peu à voir. Je choisis ? Nullement. Les quelques autres mots me sont venus immédiatement à l'esprit.

Tout récemment, à propos de Verhaeren qui associerait souvent le son *a* et la couleur rouge, un spécialiste du symbolisme, M. Morier, à qui nous devons trois volumes sur *Le Rythme du vers libre symboliste*, se hasardait à réhabiliter l'audition colorée. Bon nombre de mots français désignant le *rouge* contiendraient des *a*, souvent même redoublés : « rouge éc*a*rl*a*te, rouge c*a*rmin, rouge g*a*r*a*nce, rouge *a*m*a*r*a*nte, rouge t*a*n*a*gr*a*, rouge cor*a*il, rouge p*a*liss*a*ndre, rouge *a*c*a*jou, rouge n*a*c*a*r*a*t, rouge inc*a*rn*a*t, rouge m*a*l*a*g*a*, rouge *a*rdent, rouge p*a*prik*a*, rouge l*a*que, rouge cr*a*moisi, rouge chocol*a*t, rouge fr*a*mboise, rouge digit*a*le, rouge de s*a*nt*a*l, rouge m*a*gent*a*, rouge cin*a*bre, rouge co*a*lt*a*r, — mots auxquels il convient d'ajouter la fl*a*mme, l'*â*tre, l'embr*a*sement. » Seul ennui : le *rouge* se dit : *rouge* en français et non r*a*ge (r*e*d en anglais, sans *a ;* *rosso*, en italien, avec deux *o ; rojo*, en espagnol ; *piros* en hongrois ; sur quatre mots désignant en chinois le rouge : *k'i*, *tchou*, *hong* et *tan*, trois ne comportent pas de *a*. Et *pourpre*, et *vermillon*, et *rubicond*, que ne cite point M. Morier, mais qui me paraissent plus naturellement associés au *rouge* que *chocolat* et *coaltar*, comportent-ils beaucoup de *a ?*

L'illusion en cause se nourrit de quelques mots plus ou moins habilement isolés d'une langue donnée. Reconnaissons qu'après avoir égaré divers poètes, elle reprit quelque force, grâce au prestige de Rimbaud. C'est ainsi que le premier vers de *Voyelles* produisit à la fin du XIXe siècle une école littéraire, celle que fonda René Ghil en combinant le sonnet de Rimbaud et les données de la science, laquelle révélerait le bien fondé de ces correspondances : l' « évoluto-instrumentisme ». Quel tapage, autour de cette découverte, exposée dans le *Traité du Verbe*, revu et augmenté pour devenir *En Méthode à l'œuvre*. Ce *Traité du Verbe* qui paraît en 1886, ne fait que rassembler des idées dispersées dans quelques articles publiés l'année précédente à Bruxelles, par *La Basoche* : « Sous mon cachet. » Selon Ghil, encore que Rimbaud ait « formulé la théorie » du rapport entre voyelles et couleurs, il n'avait ni poussé jusqu'au bout cette idée pour faire de ses voyelles des *instruments de musique* « logiquement domptés »; ni tiré au clair ces relations dont l'ensemble constitue l' « instrumentation verbale ». Pour Ghil, « les diverses VOYELLES, voix du langage, sont divers instruments-vocaux. Et leur sonnante succession harmonise une *instrumentation-verbale* ». René Ghil invente une théorie des harmoniques vocaliques, qui répondraient à ces harmoniques qui confèrent leur timbre aux notes de la gamme. Théorie par chance que réfute le texte même qui l'expose, car on déclare pompeusement que *où*, *ou*, *eu*, *eû* sont des diphtongues, autrement dit « les aspects élargis et les phases nuancées » des *Voyelles*. Comme il ne s'agit nullement de diphtongues, tout ce qu'en écrit René Ghil est nul et non avenu.

Comme si ce ne fût pas assez délirer, René Ghil ne voit dans l'audition colorée qu'un des éléments de son *instrumentation verbale*. Pour lui, tout langage littéraire dérive de cris premiers, d'onomatopées :

« l'émotion a produit l'expression phonétique, et le souvenir l'a gardée et reproduite en la nuançant. » Il va jusqu'à se référer à ces « idiomes où si sensitivement demeurent unis le sens et les sons »; ainsi, le malayo-javanais. Certes toutes les langues jouent de l'onomatopée; certes, les bandes illustrées veulent nous y renvoyer; certes le japonais compte beaucoup de mots dérivés d'onomatopées; certes, le chinois a ses *impressifs*. Quant au malais, je ne me suis pas contenté des tuyaux que me refilait à ce sujet l'Aragon de *Blanche*. Je me suis administré la thèse récente de M. Joseph Verguin sur *Le Malais (Essai d'analyse fonctionnelle et structurale)*. J'y ai appris (notamment) que la forme canonique du lexème primaire en malais est dissyllabique, que le phonème *a* est d'un rendement fonctionnel égal à : $n_1 + n_2 + n_3 + n_4 + n_5 + n_6$, mais que l'efficacité informationnelle de ce phonème est inversement proportionnelle à sa fréquence; j'ai appris de bien belles choses sur les monèmes fonctionnels d'actualisation et d'expansion, sur les monèmes connectifs de simultanéité ou de successivité; j'ai même découvert que ceux qui m'enseignèrent du chinois furent sans doute des ignorantins, car ils parlaient très simplement de *numérales* (qualificatives, ou quantitatives); aujourd'hui, on structuralise les « coefficients numéraux » par le biais desquels « on obtient un certain nombre de classes sémantiques pour les lexèmes. Le lexème *tikus* (rat) a pour *coefficient numéral* le lexème *ekor* (queue) qui sera employé en même temps que *tiga* (trois). » En malais donc, le lexème *ekor* (queue) est le *coefficient numéral* des animaux, alors qu'en chinois, la *numérale wei* (queue) ne s'emploie que pour les poissons. Comme nous sommes aussi profondément rongés de structuralite que l'étaient d'audition colorée nos aïeux d'il y a un siècle, je n'ai rien vu dans la grammaire structurale du malais qui me permette de juger du bien fondé ou non des hypothèses de René Ghil. Mais j'ai relu le *Pantoun des pantouns* et ça m'a suffi.

Pour garant de ses fantaisies arrogantes, René Ghil va chercher le Socrate du *Cratyle* : « La prononciation du son *r* pour Socrate, a une analogie avec l'idée de mouvement. La sensation de glissement gît en le son de *l*, qui, uni au son *gh* (sensation de heurt et d'arrêt) exprime une idée de visqueux. Le sentiment d'entrave est trouvé en le *d* et le *t*. » Etc.

Ce ne sont là que jeux de l'esprit. Socrate, précisément, le dit en clair au *Cratyle*. Pour se réclamer de lui en faveur de l'*audition colorée*, du sonnet des *Voyelles*, et de l'*instrumentation verbale*, il faut n'avoir compris, ni ce sonnet, ni le *Cratyle*.

Tout ce que Socrate constate, c'est que le timbre de la voyelle *i* est plus aigu, plus léger que celui des autres voyelles; tout ce qu'il suggère, c'est que le *r*, le *l* sont en effet ce que nous appelons des *liquides* ; le *delta* et le *tau*, en revanche (notre *d*, notre *t*), des *explosives*, qui bloquent le souffle et le relâchent d'un coup, produisant à la fois le sentiment d'un temps d'arrêt, puis d'une explosion libératrice. Autrement dit, le Socrate de Platon manifeste tout uniment qu'il est sensible aux caractères particuliers de chaque phomène, et qu'avant l'abbé Rousselot, avant Maurice Grammont, il attribue à quelques phonèmes certains caractères physiques, physiologiques, que le laboratoire mettra plus tard en évidence. Voilà tout. Pour le reste, il joue avec les mots, l'étymologie, et se joue de ceux qui, comme Cratyle, voient dans les phonèmes l'expression d'une divine harmonie entre le signe et la chose signifiée.

Bien éloigné de cautionner René Ghil et son instrumentation verbale, le Socrate du *Cratyle* en déjoue les pièges, et restitue le langage à l'arbitraire, à la convention.

Dans le jargon prétentieux et sous-mallarméen qu'il se fabrique, René Ghil nie également que l'audition colorée soit un phénomène aberrant : « L'exception imprudemment dite, un temps, pathologique, de percevoir en même temps que de son une sensation de couleur, — peut-être vient-elle à se généraliser et à l'état normal des individus. Il se peut que la rareté du phénomène ait pu provenir du peu d'aptitude ou de l'inattention à en prendre conscience. Mais, en assentiment, en Musique le timbre n'est-il pas pris pour "couleur du son", — alors qu'en langue allemande il n'a même d'autre dénomination ? » (Sur ce dernier point René Ghil a raison : *die Klangfarbe*, mot à mot la couleur du son, signifie en musique le *ton*, ou le *timbre*. Rien là de plus éclairant que *voix blanche*, *couleur criarde*.)

Eût-il voulu démontrer que l'instrumentation verbale et l'audition colorée, à supposer qu'elles soient quelque chose, sont en effet des phénomènes pathologiques, René Ghil n'aurait pas mieux imaginé que le tableau qu'il propose de ses correspondances :

les différents instruments assourdis par

m, n, gn

l'orgue

nuits mouvantes

des sensations, sentiments & idées

où, ou, iou, oui	*ô, o, io, oi*	*â, a, ai*	*eû, eu, ieu, eui*
noirs & roux	*rouges*	*vermillons*	*roses & ors pâles*
f, l, s	*p, r, s*	*r, s*	*l, r, s, z*
les flûtes longues, primitives	*la série grave des sax*	*les séries hautes des sax*	*les cors, bassons & hautbois*
monotonie, doute, simplesse	*domination, gloire, sûreté*	*tumultes, gloires, ovation*	*gloires, amour & leurs doutes*

û, u, iu, ui	*e, è, é, ei*	*î, i, ie, iè, ié*
ors vifs	*ors-azurs*	*azurs*
f, l, r, s, z	*d, g, h, l, p, q, r, t, x*	*ll, r, s, v, z*
les trompettes, clarinettes, fifre & petites flûtes	*les violons par les pizzicati, guitares & harpe*	*les contrebasse, basse, alto-viole & violon*
ingénuité, tendresses, heur	*sérénité, désistement, deuil*	*amour, passion, douleur*

Paru le *Traité du Verbe*, et bien que Mallarmé ait eu la faiblesse de le présenter par un « avant-dire », un groupe de symbolistes, Achille Delaroche, Albert Mockel et Albert Saint-Paul publiaient dans *La Wallonie*, du 30 juin 1889, et dans *La Revue indépendante* du 13 juin de la même année, une lettre ouverte [1] à René Ghil; ils refusaient de prendre au sérieux cette « charmante fantaisie ». Tout en reconnaissant que le langage a sa « musique spéciale », les dissidents refusaient de « conclure autrement que par analogie ou métaphore à l'identité des voyelles avec les instruments ». Quant à la prétendue couleur des mêmes voyelles, ils soutenaient qu'en dépit des correspondances qu'ils tenaient pour *certaines* « entre la vibration sonore et la vibration lumineuse, on ne saurait préciser scientifiquement la couleur de chaque lettre »; enfin, ils osaient reconnaître, eux, que « les nuances perçues sont du domaine de la pathologie ».

Plus radical que moi, un jeune universitaire belge, P. Delbouille, auteur de *Poésie et sonorité, La critique contemporaine devant le pouvoir suggestif des sons*, estime que j'accorde beaucoup trop, dans mes explications de textes, au pouvoir suggestif des consonnes ou des voyelles. Je lui sais gré de cet ascétisme, qui, fût-il excessif, me semble préférable au dévergondage de Ghil. Du moins sommes-nous tombés d'accord lui et moi sur la valeur de Ghil, et ce qu'il prétendit déduire de Rimbaud : ce soi-disant instrumentiste verbal n'est qu'un verbeux cacophone.

Exemple :

En m'en venant au tard de nuit
se sont éteintes les ételles :
Ah ! que les roses ne sont-elles

1. La partie la plus intéressante de cette lettre est reproduite dans Albert Mockel, *Esthétique du symbolisme*, avec une étude de Michel Otten, Bruxelles, 1962.

tard au rosier de mon ennui
et mon amante que n'est-elle
morte en m'aimant dans un minuit.

Pis encore, si possible, cette *Marseillaise*, ce *Faust*, corrigés conformément à l'instrumentation verbale :

Aux armes ! Cités du Monde
le soir de deuil
est arrivé !

Haine immortelle de nos aïeux
tressaille dans nos artères, et
sonne !

Qu'un pareil individu ait pu faire en son temps illusion, qu'on l'ait choisi pour divulguer en Russie, autour de Brioussov, la révolution symboliste, n'a pas de quoi nous surprendre. Ne sommes-nous pas la proie d'instrumentations verbeuses aussi tonitruantes, aussi dérisoires ? Mais il fallait descendre jusqu'à ce degré de ridicule afin de comprendre où conduisent le respect, la révérence pour *Voyelles*, et le rêve d'un art totalitaire.

Ces *Voyelles* que Rimbaud s'est bien gardé, lui, de prendre au sérieux. Trouvez-moi un poème, un seul, où il se conforme à la niaiserie qu'il hasarde au premier vers de son sonnet, et je m'engage à mettre au pilon cet ouvrage. J'ai cherché, veuillez me croire. J'ai bien fini par trouver un passage où Rimbaud, de toute évidence, veut évoquer l'image ou l'idée de blancheur : ces quelques vers de *Mémoire* :

L'eau claire comme le sel des larmes d'enfance ;
L'assaut au soleil des blancheurs des corps de femmes ;
La soie en foule et de lys pur, des oriflammes
Sous les murs dont quelque pucelle eut la défense ;

L'ébat des anges...

A noir? Soit! Que de lettres-voyelles A, que de sons voyelles *a*, que de noir pour exprimer tant de candeurs, de choses blanches (l'e*a*u, cl*a*ire, l*a*rmes, enf*a*nce, *a*ss*a*ut, *a*u, bl*a*ncheurs; l*a*, orifl*a*mmes, l*a*, éb*a*t, *a*nges, et voilà treize lettres-voyelles A; quant aux sons-voyelles *a*, j'en compte douze, dont six nasalisés). Tant de noir pour célébrer tant de blanc! Non, vous ne me ferez pas le coup de l'explication « dialectique ». A propos de l'*eau claire*, justement : avez-vous observé que ce mot est composé de trois lettres-voyelles, E, A, U, dont la juxtaposition graphique se prononce *ó*, dans notre langue. Si j'appliquais à ce mot l'esthétique prétendue de *Voyelles*, l'*eau* serait *blanche*, *noire*, *verte* et *bleue;* ce qui convient miraculeusement à l'*eau : bleue* de la Méditerranée, *verte* de la côte d'Émeraude, *noire* des rivières, *blanche* dans la carafe, au sens naïf d'*incolore* : eau-de-vie *blanche*. Soyons sérieux. Lisons plutôt ce quatrain de Vladire, que j'extrais de *100 petits formats*[1] :

Avec la lettre O
de mon abécédaire
j'ai fait dans un grand verre
un tout petit peu d'eau.

Lisons plutôt Verlaine : « Moi qui ai connu Rimbaud, je sais qu'il se foutait pas mal si *A* était rouge ou vert. » Lisons plutôt Rimbaud : « A moi. L'histoire d'une de mes folies... J'inventai la couleur des voyelles! — *A* noir, *E* blanc, *I* rouge, *O* bleu, *U* vert. » Mais voilà! *A-t-on LU Rimbaud?* comme disait un plaisantin.

1. Seghers, 1966, collection L'VII.

HUITIÈME RÉCRÉATION, JUMELÉE

(toute petite, mais très affligeante) :

Poème à Apollinaire, par un garçon de café :

Rimbaud peint l'arc-en-ciel avec les cinq voyelles
Avec les cinq couleurs Matisse écrit en vers
Faisons mieux. Transposons au point que puissent même
Et se lire la toile, et se voir le poème.

(je ne sais plus où j'ai lu ça : dans *Paris-Midi?*)

(*toute petite encore, mais très réconfortante*) :

Étendez-moi rigide au fond de cette bière,
placez entre mes mains nos livres décadents :
Laforgue, Maldoror, Rimbaud, Tristan Corbière
mais pas de René Ghil : ça me fout mal aux dents !

Georges Fourest, *La Négresse blonde.*

Chapitre VIII

LA QUERELLE DES ABÉCÉDAIRES, I

Le docteur Chabalier, qui traita de *chromesthésie* en 1864, avait noté un détail qui n'a pas échappé à Émilie Noulet : « Depuis quelques années, il est une méthode d'enseignement par laquelle on apprend à lire aux petits enfants en matérialisant chaque lettre par une coloration particulière, sous la forme d'un objet quelconque dont la dénomination commence par la première lettre que l'on veut classer dans leur mémoire. Ainsi, pour apprendre à retenir la lettre A, on la symbolise sous la forme d'un âne; l'enfant commence d'abord à retenir la figure pour se rappeler la lettre; ce genre d'instruction produira, j'en suis convaincu, de nombreux cas de pseudo-chromesthésie. » Sur quoi, Mme Noulet : « Et voilà Chabalier prophète de Rimbaud!
» Prédiction où l'on voit prévus à la fois le sonnet des *Voyelles* et la découverte de sa source par Gaubert! » (*Le Premier Visage de Rimbaud*, p. 126).

Après René Ghil, on dut tirer l'échelle. Non pas qu'on ait tout à fait oublié ses extravagances [1].

1. Un demi-siècle après René Ghil, M. R. Apicella reprendra cette idée que Rimbaud c'est à peu près le Platon du *Cratyle*. Voyez *Platone*

En 1967, certains professeurs de lettres et de philosophie exposent encore l'audition colorée à leurs élèves, dans les lycées, comme s'il s'agissait d'une doctrine sérieuse. Toutefois ce fut en vain que, fourrant pêle-mêle les ondes et l'abbé Rousselot, les harmoniques et Helmholtz, Robert Van der Elst essaya de rendre à cette fumisterie quelque lustre (*La Presse médicale*, 10 décembre 1930). Du fait qu'il doit reconnaître que ce phénomène, qu'il tient pour avéré, varie selon les sujets qui en sont doués ou victimes, il condamne implicitement toute théorie littéraire qui s'en réclamerait. A quoi répondit dans le même périodique, et dès le 21 janvier 1931, le docteur F. Achille-Delmas : on a exagéré l'importance de l'audition colorée; il ne s'agit là que de faits très rares, soumis au caprice individuel. Cherchez ailleurs, conclut-il : le « fameux sonnet des *Voyelles* » s'explique mieux par un abécédaire; l'auteur croit même se rappeler que, vers 1900, un article de revue exposait cette hypothèse, et peut-être la démontrait.

Le docteur F. Achille-Delmas avait raison : dans le *Mercure de France* du 1er novembre 1904, Ernest Gaubert avait proposé une « explication nouvelle du *Sonnet des Voyelles* d'Arthur Rimbaud ». Déplorant que cette « fantaisie outrancière » ait suscité tant de controverses (« on invoqua les autorités scientifiques, on parla de *vision colorée* [sic] etc... ») Gaubert proposait une explication fort simple : « Tout

e Rimbaud, Humanités, XII, 12 décembre 58, pp. 911-916. Platon et Rimbaud se poseraient la même question, que le premier résoudrait en parlant de *ressemblances* entre les sons et les couleurs; le second allant jusqu'à en affirmer l'*identité*.

récemment, en cherchant dans une vieille bibliothèque, à la campagne, toute une série de volumes parus de 1840 à 1850 me tomba sous la main. C'est un *abécédaire* pour les tout petits. Il porte, à la page 3 et à la page 21, le cachet bleu : *colportage*. Il est naïvement illustré.

» Les voyelles occupent les six premières pages. Chaque page est divisée en quatre cases. La grosse lettre est figurée au milieu, empiétant un peu sur chaque page [*case?*] et grossièrement enluminée. Elle est entourée par quatre dessins explicatifs d'un mot dont la susdite voyelle constitue la première lettre. Ces mots sont étrangement choisis :

1° A, la lettre est noire. Autour d'elle, des dessins inspirés par ces mots : *Abeille*, *Araignée*, *Astre*, *Arc-en-Ciel*.

2° E, jaune : *Emir*, *Etendard*, *Esclave*, *Enclume*.

3° I, rouge : *Indienne*, *Injure*, *Inquisition*, *Institut*.

4° O, azur : *Oliphant*, *Onagre*, *Ordonnance*, *Ours*.

5° U, vert : *Ure* (espèce de bœuf), *Uniforme*, *Urne*, *Uranie*.

6° Y, orange : *Yeux*, *Yole*, *Yeuse*, *Yatagan*.

» Il semble bien que, par association d'idées, *Abeille* ne soit pas sans rapport avec :

Noir corset velu des mouches éclatantes.

» Étant donné le décor qui entoure la vague image d'un prince d'Orient que le dessinateur nous donna comme un *émir*, nous évoquons les deux vers :

...E, candeur [sic] *des vapeurs et des tentes,*
Lance [sic] *des glaciers fins* [sic], *rois blancs.*

etc.

» L'usage de ces sortes d'alphabet est fort ancien. On en vend encore dans tous les bazars. Ne serait-ce pas un album de ce genre qui aurait donné à Rimbaud l'idée première de son sonnet ? A ceux qui connurent le poète de répondre. »

Le texte parut en 1904, au moment où René Ghil publiait *En Méthode à l'œuvre.*

Étonnez-vous si l'article de Gaubert, qui tombait à contre-temps, passa inaperçu. La critique n'aime pas les gêneurs. D'autre part, la famille de Rimbaud et les autres évangélistes ne pouvaient que considérer avec horreur une hypothèse « positiviste » qui réduisait à zéro le prophète, l'annonciateur d'une vérité « scientifique » ! Pendant une trentaine d'années, on parla d'autre chose : de la découverte des ballots de cette *Saison en enfer*, que la légende voulait que Rimbaud eût brûlée en façon d'autodafé ; du mysticisme oriental de Rimbaud ; de son christianisme ; de son uranisme ; de la part qu'il prit ou non à la Commune.

De Gaubert, chez les doctes, les habiles, nulle nouvelle. Certes il avait maladroitement expliqué par une *Abeille* les mouches de Rimbaud. On pouvait aisément lui objecter que les abeilles ne fréquentent point les charognes, les « puanteurs cruelles » et que si, pour expliquer Rimbaud, on doit métamorphoser en abeille une mouche, cette aventureuse quête des sources aboutit au ridicule. Du coup, on négligeait un indice qui méritait pourtant l'attention : les *rois blancs* sont évidemment des *émirs*. Sinon *évidemment* du moins *très probablement*. Sinon *très probablement* du moins *vraisemblablement*. Mais alors, où sont les étendards ? où, les esclaves ? où, les enclumes ? Et pourquoi Rimbaud, qui adopterait les couleurs respectives de l'abécédaire pour A, I, O et U aurait-il blanchi un E jaune ?

Si pourtant on admet provisoirement cette hypothèse, et que l'*Oliphant* explique le *suprême clairon*, *Uranie*, la vision du monde (terres et mers) comme *yeux* le *Ses Yeux*, cette convergence de détails aurait dû inciter les critiques à réfléchir; mais la fable veillait sur sa victime, et l'article ne fit pas le scandale utile faute duquel point de salut. Assurément des hommes aussi divers que Peter Quennel en Angleterre, A. R. Chisholm en Australie, Gérard Bauër à Paris, Stefan von Ulmann en Allemagne, Italo Siciliano en Italie avaient connu, remarqué et retenu l'hypothèse de Gaubert; savants, universitaires, ces hommes ne travaillent point pour le grand public; on ne parle point d'eux ailleurs que chez leurs pairs. Et puis, l'oracle familial s'était prononcé contre M. Gaubert. L'ineffable Baderne Patachon se monta le bourrichon contre l'abominable blasphémateur, et refusait avec mépris une interprétation à ses yeux dégradante. Quoi ! le « divin frère » d'Isabelle (comme il écrivait), quoi ! le Messie aurait condescendu à s'inspirer d'un banal abécédaire ! Qu'importe à Berrichon que Rimbaud ait avoué, dans *Une Saison*, ce goût chez lui marqué pour les « petits livres de l'enfance » ? Contre eux, au besoin, il faut défendre les dieux ! Ceux mêmes comme Marcel Coulon qui s'efforçaient de dissiper la fable familiale et de démonter le mécanisme des impostures berrichoniennes, venaient-il à commenter *Voyelles*, en 1929, c'était pour se rallier à l'explication noble : à l'audition colorée : « Plus baudelairien encore *Voyelles :* essai de musique colorée ou de coloration musicale, comme on voudra; une enluminure en marge du fameux sonnet de *Correspondances.* »

Or, soudain, en 1933, un nouveau scandale agita le monde littéraire, dont les *Voyelles* allaient tirer, sinon profit, du moins quelque recrudescence de curiosité. En février 1935, M. André Fontaine, inspecteur général de l'Instruction publique, révélait dans *L'Enseignement public* « *Le Texte exact,* qu'il disait, *de* Voyelles *et du* Bateau ivre ». M. Fontaine, qui s'improvisait rimbaldien, découvre en effet ce qu'il croit le seul manuscrit connu du sonnet. Il s'extasie notamment sur le titre, qu'il faut lire *Les Voyelles ;* dès lors, comme tout s'éclaire! Il admire les « rais blancs », tellement supérieurs aux « rois blancs », etc. Tout content de soi, il reprend son texte, l'enjolive encore et le donne en appendice à son *Génie de Rimbaud* qui paraît chez Delagrave en 1934, à 515 exemplaires, dont 15 sur vélin pur fil des papeteries Lafuma. Quelle pitié de voir ainsi gâcher du beau papier! M. Fontaine claironne qu'il va donner le texte exact du manuscrit, y compris la ponctuation, singulièrement et fâcheusement modifiée aussi bien par Paterne Berrichon que par l'auteur des *Poètes maudits.*

LES VOYELLES

A, noir ; E, blanc ; I, rouge ; U vert ; O, bleu : voyelles,
Je dirai quelque jour vos naissances latentes.
A, noir corset velu des mouches éclatantes
Qui bombinent autour des puanteurs cruelles,

Golfes d'ombre. E, frissons des vapeurs et des tentes,
Lances de glaçons fiers, rais blancs, frissons d'ombelles !
I, pourpre, sang craché, rire des lèvres belles
Dans la colère ou les ivresses pénitentes,

U, cycles, vibrements divins des mers virides ;
Paix des pâtis semés d'animaux ; paix des rides
Qu'imprima l'alchimie aux doux fronts studieux.

O, suprême clairon plein de strideurs étranges
Silences traversés des Mondes et des Anges...
— O l'Oméga, rayon violet de ses yeux !

« Je concède sans peine », enchaîne-t-il, « qu'entre le texte imprimé et le texte manuscrit il n'y a pas opposition absolue. Mais Verlaine lui-même n'a-t-il pas écrit :

Pas la couleur, rien que la nuance...

» Et quel lecteur de bonne foi oserait affirmer que, dans les deux versions, la nuance est la même ?

» La ponctuation, à elle seule, suffirait à ruiner une telle assertion : dans Verlaine, et, depuis lui, dans toutes les éditions, les mots *noir*, *blanc*, *rouge*... unis sans virgules à A, E, I... sont de simples épithètes. La ponctuation savante de Rimbaud confère à ces adjectifs, avec la dignité de substantifs, une valeur toute spéciale. Le poète ne veut pas seulement indiquer que A est noir, mais qu'il est lui-même le noir, qu'il a la couleur noire comme correspondance symbolique et mystique. Si A se représente musicalement par une blanche, *noir* se représente, lui aussi, par une blanche comme l'égal de A et non pas une croche où s'amenuiserait l'épithète. D'une version à l'autre, l'harmonie du vers se trouve donc modifiée; la gravité s'altère en banale élégance.

» Du moins, au troisième vers du second quatrain,

Verlaine n'a-t-il pas supprimé la virgule qui sépare I de *pourpres*, comme l'a fait si malencontreusement Paterne Berrichon dans l'édition du *Mercure;* mais pourquoi n'a-t-il pas conservé le singulier du mot *pourpre?* N'est-il pas évident que le poète pense à l'éclat de la pourpre, que c'est de cet éclat qu'il veut nous éblouir et qu'il n'a aucun désir d'invoquer les nuances diverses de pourpre ? Ce pluriel, même mis en apposition, éteint un peu la couleur superbe du vers tout entier.

» Et, pour en revenir à la ponctuation, quel besoin de remplacer par des virgules les points et virgules qui, dans le premier tercet, marquent un repos de la voix à la suite de véritables tableaux résumés en moins d'un vers ? De quel droit substituer deux points aux points de suspension qui, comme un silence visible, prolongent l'impression de ce beau vers mystérieux :

Silences traversés des Mondes et des Anges... »

Ainsi de suite.

De quel droit? vous lisez bien. M. André Fontaine se demande *de quel droit* des éditeurs scrupuleux ont osé tripatouiller le texte de Rimbaud, l'admirable texte de Rimbaud qui, comme on sait, a toujours raison d'écrire ce qu'il écrit, même quand, comme M. Petitfils, on lui attribue un sonnet de Scarron, même quand, comme M. Fontaine, on lui attribue une copie fautive, car enfin, vous qui êtes ferrés à glace puisque vous avez lu le second chapitre de ce livre, et connaissez les questions relatives à l'établissement du texte, vous savez depuis beau temps que la copie neuve, authentique de *Voyelles* (pardon :

de *Les Voyelles*) que révèle M. Fontaine, c'est le texte imparfait, recopié par Verlaine et publié dans les *Manuscrits des Maîtres.* Que penser d'un homme qui non content de pythifier sur des virgules qui confèrent à *noir* la dimension « mystique » (c'est comme ça qu'on parle aujourd'hui quand on cause bien) déplore qu'un *s* du pluriel éteigne la pourpre d'un vers, et s'émerveille d'un vers « mystérieux », qui se borne à résumer la cosmologie naïve du christianisme... Que penser d'un homme qui, persuadé que ce faux Rimbaud est de Rimbaud, se croit tenu d'y admirer la répétition en deux vers de « frissons » ? et qui fond en larmes de joie quand il découvre que Rimbaud a mis *rais blancs*, alors que le faux Rimbaud, c'est-à-dire le vrai, écrivait platement *rois blancs?* « Pourquoi, pourquoi surtout les *rais blancs* qui semblent comme l'irradiation des glaçons se sont-ils mués en *rois blancs?* » Oui, pourquoi Rimbaud n'a-t-il pas commis toutes les fautes que lui prête M. Fontaine ? Oui, pourquoi « les simples glaçons — fiers, il est vrai — sont-ils devenus des glaciers ? » Hé ! Monsieur, parce que Rimbaud n'est pas un imbécile, et qu'il voit mal comment un glaçon pourrait brandir des *lances.*

« Subtilisé-je ? » se demande M. Fontaine, en concluant. *Subtilisé-je?* Voui, Môssieu, vous subtilijésez. Je frémis à la pensée que, durant des années, vous avez noté d'infortunés professeurs du secondaire, dont j'aurais pu être, car en 1936-38 j'enseignais au lycée de Beauvais. Si vous m'aviez surpris en train d'expliquer à mes élèves le sonnet de Rimbaud, vous m'auriez entendu vitupérer ceux qui se mêlent d'écrire sur lui et qui ne savent même pas que le texte « découvert » par M. Fontaine avait été divulgué par Berrichon en 1912, reproduit en 1919 dans les *Manuscrits des Maîtres*, puis dans l'apparat critique du *Rimbaud* de François Ruchon (p. 348) et cette fois sans faute, ce qui n'est pas le cas du texte paru dans *Génie de Rimbaud.* J'aurais pu ajouter, dans mon impertinence, que le texte « inconnu » avait encore été reproduit en 1932 dans les *Œuvres complètes* de Rimbaud, éditions de Cluny, en frontispice, pour la curiosité du badaud, alors qu'on donnait dans le volume la leçon correcte, le vrai sonnet de Rimbaud, celui qui scandalise le goût, le tact de M. l'Inspecteur [1]. Si M. Fontaine avait si peu que ce fût connu le sujet, il aurait même découvert que M. Alfred Wolfenstein, un Allemand, l'avait donné, lui aussi, dès 1930, en frontispice de son édition de Rimbaud, dans une collection intitulée *Internationale Bibliothek*...

Alors, la cause est entendue ?

Vous n'y pensez pas. Du moment que l'article et le livre de M. Fontaine ne valaient rien, on leur fit fête, et quelle fête ! Avec un tact, une information dignes en tous points de M. Fontaine, un grandissime critiquissime, M. Gabriel Brunet, entonnait le péan dans le *Mercure de France*, dès le 1er juillet 1933 ! Coup d'encensoir à M. Fontaine qui « unit les méthodes philologiques les plus sévères à un sens esthétique délicat ». Ainsi va la vie littéraire, en ce pays.

Des méthodes philologiques sévères à ce point, un sens esthétique à ce point délicat, allaient donc susciter une « affaire ».

1. M. Fontaine se réfère à cette édition; cf. *Génie de Rimbaud*, p. 103.

Le premier à ma connaissance (après M. Brunet) qui attacha le grelot, fut M. Lucien Sausy dans *Les Nouvelles littéraires* : « M. André Fontaine, Inspecteur général de l'Enseignement secondaire, [ce qui est hélas vrai] a révélé [ce qui est heureusement faux, archi-faux] aux lecteurs de la revue *L'Enseignement public* [ce qui est vrai, hélas pour eux] le texte du manuscrit des *Voyelles* [ce qui est faux], qui diffère sensiblement des textes imprimés [hélas oui, et tant mieux pour les textes imprimés]; et ces différences lui ont suggéré des réflexions si judicieuses et sont de nature à favoriser si considérablement l'interprétation de ce poëme, qualifié d'hermétique, [ce qui est vrai, mais faux], qu'elles méritent d'être signalées [ce qui est faux]. » Le commentaire en question serait à la fois « pertinent et lumineux »; bien plus : illuminatif; à telles enseignes qu'il a guidé M. Sausy sur la voie d'une illumination, d'une « explication d'ensemble de ce poème, dont l'hermétisme déconcerte.

» Pour ma part », écrit M. Sausy, « la substitution de *rais* à *rois* (qu'impose le manuscrit, car il laisse distinctement apercevoir dans le mot un *a* et non un *o*) a pris à mes yeux la valeur d'une révélation.

» L'E s'est inscrit dans mes prunelles, de façon telle que les trois barres se présentaient non plus horizontalement mais verticalement; elles semblaient ainsi dressées dans la lumière des lances de glaçons fiers, des rais blancs. »

Il faut donc voir l'E comme ceci : Ш. Quel dommage que Rimbaud ne parle ni de *rais*, ni de *glaçons*, mais de *rois* et de *glaciers*.

Continuons quand même; le I ne doit pas être

vu verticalement; Rimbaud « l'envisageait comme une ligne oblique, un jet de sang, qui va de la bouche au sol, puis comme l'horizontale des lèvres distendues par le rire ». Pour comprendre *Voyelles*, il faut donc que le I penche comme une tour de Pise. Je veux bien. De la part des poètes, rien ne m'étonne. Mais enfin, avez-vous jamais vu du sang tomber d'une lèvre comme penche la tour de Pise? Quant aux U, pour comprendre Rimbaud, il suffit de les disposer alternativement dans leur position normale, et de haut en bas : U∩U∩U∩; ne voit-on pas dès lors apparaître une « succession de vagues qui se creusent et s'écrêtent et se reproduisent indéfiniment ». Cela étant admis, comment n'admettre point que le rond de l'O représente « le pavillon du clairon et la prunelle de l'œil ». Reste l'A, « plus difficile à concevoir », mais qui ne saurait résister à ceux qui savent si bien coucher les E, pencher les I, mettre les U la tête en bas. Regardez une mouche : « L'ensemble de la mouche, sinon le corset, forme un A. Pour un poète, une mouche c'est un A qui vole. » Dès lors, et comme s'il inventait quelque chose parce qu'il a mis l'alphabet sens dessus dessous, M. Sausy découvre, ô merveille! que l'A est noir parce que les mouches sont noires, l'I rouge parce que le sang est rouge, l'U vert comme les prairies et la mer, l'O bleu comme le ciel. « Bref, ce sonnet est la traduction de toutes les navrances et de toutes les aspirations de l'âme humaine et surtout des aspirations et des navrances du poëte, harcelé, comme son *Bateau ivre*, de rêves éblouissants et morfondu de ses désillusions. »

Subtilisé-je? ne se demande point M. Sausy. Il a

tort. Il *subtilisèje* lui aussi pour enfiler des perles plates. Le premier imbécile venu peut observer que, sous chaque voyelle coloriée, Rimbaud énumère des objets de la couleur de cette voyelle. Pour découvrir cette évidence, pas besoin de coucher les E, de pencher les I, et de distribuer en sinusoïde l'infortunée voyelle U.

M. Sausy *subtilisèje* et, comme il sied en parlant de Rimbaud, monte sur le trépied pythique : « Le poëte n'a pas observé jusqu'au bout la succession normale des couleurs; il les a rangées dans l'ordre A,E,I,U,O, parce que l'O est le signe transcendental, le signe des signes, l'Oméga, la bouche d'ombre d'ici-bas, à laquelle répond dans l'azur le clairon du Verbe. » Décidément en verve de Verbe et de verbalisme, M. Sausy ne s'est pas contenté de la banale audition colorée, esthétique où, « par l'accumulation de mots aux A ou aux E nombreux, par exemple, on arriverait à donner une impression de noir ou de blanc ». Non, Rimbaud est bien au-dessus, bien au-delà de cette audition colorée; il a voulu « remonter au langage primitif, qui n'avait à sa disposition, pour tout exprimer, que les onomatopées, comparables phonétiquement aux voyelles ». Oui, on en est là : pour justifier un texte erroné de *Voyelles*, on évoque, apprenti sorcier, *le langage primitif des hommes !*

Ainsi, et comme toujours, la critique devant ces *Voyelles* ne sait que recourir à l'interprétation délirante. Tout lui est bon, pour exalter la grandeur de *Voyelles*, y compris surtout les leçons, les ponctuations, que Rimbaud a refusées, et qui sont le fait d'une mémoire défaillante : celle de Verlaine.

NEUVIÈME RÉCRÉATION

(bien amusante)

Si j'étais un grand, un vrai rimbaldien, je m'en tiendrais là, au sujet de MM. Fontaine et Sausy. Le grand rimbaldien, comme chacun le sait, attribue à Rimbaud un poème de Scarron, mais ne daigne pas s'excuser de sa bévue ; ou bien après avoir interprété Rimbaud selon les normes de l'État français entre 40 et 45, il escamote dans les éditions ultérieures les passages encombrants ; ou bien après avoir célébré « l'œuvre logique » de Rimbaud, ce qui ne rend pas, il remanie l'ouvrage, en parlant de « révolte moderne » après Camus, et du coup... ; ou bien, entre la publication en revue et en volume de son travail, il modifie du tout au tout son interprétation parce qu'Etiemble et Yassu Gauclère ont publié entretemps un petit livre sur Rimbaud, qu'il éreintera du reste assez bien quand il en devra rendre compte ; ou encore, après avoir été berné par *La Chasse spirituelle* d'Akakia et Bataille, il en voudra mortellement à ceux qui ne furent pas dupes, mais n'avouera jamais sa sottise. Dieu-Rimbaud ne donne-t-il point à ses dévots une absolution plénière et perpétuelle ? Amen !

Comme je ne suis, moi, qu'un tout petit, et qu'un faux rimbaldien, je vais donc avouer que dans le *Rimbaud* que j'écrivis de 1934 à 1935 avec Yassu Gauclère, j'acceptai comme alors à peu près tout le monde la lecture de *Voyelles* selon M. Fontaine. J'avais alors vingt-cinq ans, et quelques excuses! Ne serait-ce qu'un vestige de respect pour les vieillards et *color che sanno*, ceux qui savent... Pouvais-je imaginer qu'un Inspecteur général se mettait le doigt si profond dans *Ses Yeux?* Notre seul mérite, il me semble, fut de n'avoir ni crié au miracle ni suivi les exégètes que dévoya cette révélation [1]. Dès 1936, lorsque E. de Rougemont et H. de Bouillane de Lacoste publièrent dans le *Mercure de France* (1er novembre) leur étude sur l'*Évolution psychique d'Arthur Rimbaud d'après son écriture* et bien que nous soyons demeurés sceptiques devant l'outrecuidance d'une graphologie dont nous étions pourtant férus, nous fûmes convaincus par cette part de la démonstration qui concerne les *Voyelles*. Hélas, notre *Rimbaud* était sorti des presses en mars de cette année-là. Pour rétablir le vrai texte du sonnet, il nous fallut attendre la première réimpression, qui se fit attendre quatorze ans. Je l'ai dit : nous ne sommes que de tout petits pédantereaux, et nos livres ne s'épuisent pas aussi vite que ceux de Daniel-Rops, le grandissime rimbaldien. Nous n'eûmes d'ailleurs rien à changer dans notre commentaire, car nous n'avions pas vaticiné sur les merveilles illusoires découvertes au texte faux par tant d'habiles glossateurs.

1. Voyez en effet ci-dessous le chap. XII, où je cite le texte de ce *Rimbaud* de 1936, épuisé depuis longtemps.

Chapitre IX

LA QUERELLE DES ABÉCÉDAIRES, II

(1934-1935)

De même que l'audition colorée était devenue pour un temps la seule glose du sonnet, cette histoire d'abécédaire, au lieu d'être considérée, comme il se doit, parmi les divers éléments dont Rimbaud pouvait avoir composé son *Alchimie du verbe* — devint à son tour la tarte à la crème de tous les chroniqueurs. M. Sausy fit école.

Le 1er octobre 1934, M. Henri Héraut opinait dans *La Nouvelle Revue française* : « Nous ne saurions trop remercier M. André Fontaine qui nous a donné dans *L'Enseignement public*, le texte primitif du *Sonnet des Voyelles* de Rimbaud. » A son crédit : M. Héraut refusait d'admirer sans réserve cette version qu'à tort il crut un « don » de M. l'Inspecteur général. Il lui semblait, notamment, que les corrections déplorées par M. Fontaine — c'est-à-dire le véritable texte de Rimbaud — « sont, pour la plupart, assez heureuses ». Pourtant, quand il examina le texte prétendu primitif, les virgules du premier vers

A, noir, E blanc, I rouge, U, vert, O, bleu — voyelles

lui donnèrent « l'impression d'*entendre* un enfant réciter une leçon, ou plutôt déchiffrer lentement, avec des arrêts, les lettres de l'*alphabet* ». D'où cette hypothèse : « Pourquoi le fameux sonnet [...] ne serait-il pas tout simplement le commentaire de diverses images figurant sur un alphabet pour enfant ? » C'était depuis longtemps l'idée d'Ernest Gaubert. M. Héraut semble n'en rien savoir. A partir de là, et par l'effet de cette malédiction, de ce tropisme qui oriente invinciblement vers l'erreur l'esprit humain, M. Héraut se met à délirer. Rimbaud ayant confessé son goût pour les « petits livres de l'enfance », on avait le droit (qui sait ? le devoir) il y a de cela trente ans de chercher dans cette direction. J'ai passé des heures et des heures à dépouiller en bibliothèque des abécédaires coloriés que Rimbaud pouvait avoir vus; cela sans résultat pour moi *décisif*. Pourquoi faut-il qu'une idée passable produise chez M. Héraut des gloses si peu convaincantes, et même si désappointantes. Pour lui, A deviendrait « la première lettre d'Abeille (vocable usuel, pouvant figurer facilement dans un alphabet) mais, bien entendu, pour nous intriguer, Rimbaud n'écrira pas : "Abeille" (ce serait trop simple !); il emploie une métaphore "mouches éclatantes". Cette désignation de "mouches éclatantes" convient d'ailleurs fort peu, remarquons-le, aux mouches qui bourdonnent autour des "puanteurs", dont le corps présente plutôt des lueurs troubles de pétrole. "Mouches éclatantes" désigne de façon plus exacte des abeilles "dorées" au soleil. D'ailleurs le mot "bombinent" est fort voisin de "butinent". Peut-être même était-ce "butinent" qui se présentait sous la plume de Rimbaud, mais ce verbe était trop révélateur (dès le début éventer la mèche !) et il le remplace par ce terme étrange (et plutôt malheureux) : "bombinent". Il brouille, dès lors, entièrement la piste en nous égarant volontairement sur "mouche" (ou peut-être même est-ce un souvenir inconscient de la *Charogne* de Baudelaire ? »

Interprétation qui ferait de Rimbaud une sorte de Jean Tardieu en moins bien. Le Jean Tardieu de *Un mot pour un autre* : « Je pense *abeille*, donc je dis *mouche ;* je pense *butine*, donc j'écris *bombine ;* ce faisant, mais inconsciemment — tout est là ! — je retrouve une image qui évoque mon vrai Dieu, Baudelaire. » Moi, l'Homais, je demande : « Depuis quand les abeilles *butinent*-elles les cadavres; ou même : *bombinent*-elles autour des carcasses ? Il y a plus beau, chez M. Héraut : il y a l'E, « première lettre du mot *Eau* »; d'où ces *golfes d'ombre !* Seul ennui : *golfes d'ombre* chez Rimbaud n'illustre nullement la voyelle E, qui est *blanche*, mais l'A, lequel est *noir*. D'où l'*ombre*. Qu'importe à ceux qui ne savent pas lire (tant de monde !) et qui voient *blanc* ce que Rimbaud leur dit expressément être *noir*. Comment accepter qu'un enfant qui raisonne sur les voyelles de son alphabet aille choisir comme symbole de la lettre E un mot dans lequel ni cette lettre ni les deux autres ne se prononcent, un mot où les lettres-voyelles *e*, *a*, *u* produisent le son *o ?* N'empêche : pour M. Héraut, l'*eau* sera « naturellement blanche (ou incolore) ». Les *frissons* des *tentes*, c'est l'eau encore. « Lances de *glaçons* fiers » ? L'eau, toujours l'eau, mais congelée. Des « rais blancs », des « frissons d'ombelles », c'est l'eau, plus que jamais, transformée cette fois en givre sur les vitres. Quiconque refuse de voir dans l'*Eau* le secret « latent » de l'E, s'interdit de « logiquement unir une série de mots aussi dissemblables que ceux qui figurent dans ces deux vers ». Que Rimbaud ne parle nullement de *rais blancs*, mais de *rois blancs*, dont les *tentes* lui sont blanches elles aussi; que des ombelles de givre, je n'en ai jamais vu *frissonner* (même de froid) sur leurs vitres, peu importe à M. Héraut. Moi, l'idiot, quand je me promenais enfant à la campagne, c'était au milieu d'ombelles blanches qui frissonnent au vent léger. Le glossateur n'en a cure. Également insoucieux de la vraisemblance, il explique par *Iroquois* la voyelle I. « Nous avons la confirmation qu'il s'agit bien de "peaux rouges" par le qualificatif de "pourpre" ajouté à l'I. Les deux vers consacrés à l'I nous dépeignent de façon fort exacte, en effet, les sauvages "peaux rouges". » Doutez-vous ? C'est que vous ne savez pas que « rire des lèvres belles » signifie de toute évidence « grosses lèvres charnues » d'Indiens. *Sang craché*, *colère*, *ivresse*, autant de mots qui conviennent parfaitement « à des êtres instinctifs, à des *sauvages* ».

Ainsi de suite. U = univers, fatalement *vert*, « sans doute par une sorte de jeu de mots inconscient entre Univers et U-vert ». *Inconscient*, tout est là. Il importe à ces Messieurs que Rimbaud ne sache jamais ce qu'il fait. Inconscience, oui; du commentateur à qui les « vibrements des mers virides » signifient « le pur éther des régions supérieures où se pressent la présence de Dieu! » Gloria in excelsis! Homais, une fois encore, n'est pas celui qu'on pense.

Ainsi : Abeille = mouche; givre = frisson; lèvres

belles = grosses lèvres charnues; mers virides = ciel bleu. Fumiste en effet réussi ce Rimbaud, à supposer que M. Héraut l'ait compris! Reste à élucider les arcanes de l'O, « qui représente pour nous ici la première lettre du mot *Orgue* ». Saisi enfin d'un scrupule, M. Héraut se demande si, selon la règle *Univers* = *U-vert*, *Orgue* ne devrait pas équivaloir à *O-or*. « Mais cela aurait constitué un épouvantable hiatus. Et Rimbaud a mis "bleu". Cette couleur fondamentale se trouvant encore par hasard disponible dans sa nomenclature. C'est même la seule qui lui restait à employer! » Gêné devant cet *Orgue*, qui devrait donner de l'*or* et ne produit que du *bleu*, M. Héraut n'a même pas songé à *jaune*, équivalent passable de son or, et qui ne fait point hiatus. Comme cet *orgue* ne justifie pas « en tout point » *O* = *bleu*, Rimbaud, « par un jeu de pure virtuosité », double l'*orgue* d'un autre mot qui commence par *O*, *Oeil;* « ce mot a l'avantage de pouvoir être bleu ». Tout à l'heure, pour signifier la lettre-voyelle E, Rimbaud choisissait le mot de notre langue où cette lettre est parfaitement escamotée, et n'est là que pour participer à la graphie du son *o*. Pour célébrer la lettre-voyelle O, le voici qui choisit un mot où l'*o* est camouflé à l'initiale en *œ* et s'associe à la voyelle *i* pour former le son que l'on retrouve dans *feuille!* Le tour de force est si bien exécuté que « pas une seule fois dans le sonnet il [Rimbaud] ne nommera le mot "révélateur" et il emploie œil au pluriel, "Yeux" (ce qui lui fournit la rime recherchée avec "cieux") ». Pour peu qu'on lise le sonnet, ce qui s'appelle lire, *Yeux* a l'avantage de commencer par la lettre voyelle Y, laquelle n'était pas nommée au premier vers. Or nous avons la série A E I O U Y.

Alors que M. Sausy admirait en ces quatorze vers « toutes les navrances et toutes les aspirations de l'âme humaine », M. Héraut, qui s'est ingénié à ne rien y comprendre, y discerne une « si simple récréation littéraire d'adolescent féru de mystère, qui veut passer pour "visionnaire", et qui s'est plu à orner, ou plutôt à cacher les grosses lettres colorées d'un modeste alphabet sous des textes poétiques, métaphoriques ! »

Le visionnaire, ici, je le vois assez bien : Rimbaud ? que non ! Héraut.

Or, dans *La Nouvelle Revue française* de janvier 1935, M. J. Pohl ajouta une apposition à la « thèse ingénieuse » de notre visionnaire. Après avoir rappelé l'article ancien d'Ernest Gaubert (que le *Mercure* ne manqua pas de reproduire en partie, le même mois) il admire que la voyelle A soit interprétée de la même façon chez l'un et l'autre glossateur; cette « identité d'interprétation », il la tient pour « concluante », au sens de : décisive. Il admire également que, chez Gaubert, l'I rouge dérive d'un *I*ndien, et d'un *I*roquois chez Héraut. Il voudrait pourtant dériver du mot *Inquisition* l'idée de pénitence qu'à son avis (en l'espèce judicieux) n'éclaire nullement, obscurcit plutôt, le commentaire de M. Henri Héraut. Quant à la lettre-voyelle E, M. Pohl préfère à bon droit l'hypothèse de Gaubert : E = Émir, d'où *rois blancs*, et *tentes ;* il refuse de voir l'*eau* devenir *golfes d'ombre*, *rais*, *ombelles* de givre. Le plus malin des prestidigitateurs, comment fera-t-il sortir une tente d'une goutte d'eau ? Plutôt que l'*Orgue*, M. Pohl voit un *Oliphant ;* du coup, le Clairon devient, « à peine dissimulé, l'ultime appel d'*Oliphant* de Roland. Les *silences* sont l'air, le ciel, où gravitent les astres et où voguent les anges.

» Et enfin, si l'interprétation d'O est nettement doublée, en effet, c'est que le dernier tercet amalgame Y et O, *Yeux* se trouvant écrit en premier lieu (c'est presque partout le premier mot qu'attire Rimbaud) à la voyelle Y dans l'abécédaire auquel se référait M. Gaubert.

» C'est d'ailleurs le seul mot de cet abécédaire transcrit littéralement de l'album. Il y a là comme un jeu final de Rimbaud, qui a voulu qu'Y figurât aussi parmi ses voyelles. D'ailleurs, au dernier vers, O n'est plus *bleu*, mais *violet*, teinte proche, mais qui n'est plus fondamentale; comme l'orange qui lui est souvent opposé ou uni ainsi que dans la lumière qui baigne le tombeau de Napoléon. »

Bref, pour M. J. Pohl, on peut « avancer sans témérité que l'abécédaire de M. Gaubert est *exactement* le même que celui qu'eut Rimbaud sous les yeux ».

Bien différent, l'avis exprimé le même mois, dans le *Mercure de France*, par MM. de Bouillane de Lacoste et P. Izambard. Ils commencent par s'extasier sur l'hypothèse de M. Héraut : « fort jolie et très séduisante à première vue »; malgré la perfidie du « à première vue », je reconnais là cette bonne éducation qui interdit d'appeler chat un chat, et niaiserie la niaiserie. Après quoi, réagissant comme j'avais fait à ces *abeilles* qui se déguisent en *mouches*, ils suggèrent que, dans ce cas, il faudrait poser l'équation : *puanteurs cruelles* = *suc des fleurs.*

A propos de la lettre-voyelle E, ils observent qu'un

abécédaire ne l'illustrera point par un mot où « cette lettre ne se prononce pas ». Autre remarque judicieuse contre « l'orgue qui serait bleu » et camouflé en clairon. Enfin, ils demandent curieusement au glossateur ce qu'il fait de l'Y lequel n'est pas omis dans les abécédaires : « Voilà un petit problème qu'on n'a pas cherché à résoudre. Serait-ce pour remplir cette lacune que le bon Verlaine avait imprimé, au dernier vers, par un procédé plus conforme aux habitudes parnassiennes qu'à celles de Rimbaud, "Ses Yeux" avec deux majuscules ? » (Car M. de Lacoste lui aussi est alors dupe de M. Fontaine !) Ceci en tout cas me semble irréprochable :

1° Quand même on prouverait qu'un alphabet conforme à celui de Gaubert se vendit dans les Ardennes entre 1850 et 1860, « nous ne serions pas encore en droit d'affirmer que ce livre aurait inspiré Rimbaud ». Nous ne pourrions parler que de « grande probabilité ».

2° Rimbaud a confessé son amour des « petits livres de l'enfance », parmi lesquels pourquoi ne pas compter les abécédaires ?

3° Mais quelques lignes plus loin Rimbaud écrit dans la *Saison* : « J'*inventai* [les auteurs soulignent] la couleur des voyelles ! »

« ... sans vouloir faire dire à ce mot plus qu'il ne dit, il nous semble s'accorder assez mal avec l'idée d'un *emprunt* tel que celui dont Ernest Gaubert, et à sa suite M. Henri Héraut, ont essayé de fournir la démonstration [1]. »

1. Est-ce pourquoi Erik Ditlevsen, dans sa traduction danoise d'*Une Saison* (En Tid i helvede, traduit « j'*inventai* » : *jeg opdagede*, c'est-à-dire : *je découvris, je me rendis compte qu'il existait* (p. 32) ? Le même

Je contesterais pourtant quelques détails de cette étude. Ceci notamment : « Quelle drôle d'idée de commencer un alphabet *en couleurs* par une lettre en *noir* », et « quelle singulière *couleur* que le blanc ! » Entendons-nous : du point de vue de la physique des couleurs, en effet Rimbaud a tort; reste que, dans la sensibilité et dans la conscience diffuse des hommes (à plus forte raison, des enfants), *noir* et *blanc* symbolisent, à tort sans doute, mais par excellence, les couleurs les plus voyantes, les plus tranchées; en quelque sorte : l'absolu positif et négatif de la couleur. Les peintres en jouent souvent, ne serait-ce que dans les lavis chinois à l'encre. *Noir* et *blanc* restent pour les hommes en général comme les deux pôles du monde des couleurs. A preuve : lorsque, dans leur classificatoire, les Chinois attribuent aux cinq orients leurs couleurs, c'est invinciblement *hei*, noir, *pai*, blanc, *tch'eu*, rouge, *tsing*, vert et bleu-vert, *houang*, jaune. A une exception près, les couleurs mêmes que retient l'enfant Rimbaud.

Jour décidément faste (ou néfaste ?) pour *Voyelles*, ce 1er janvier 1935 : Marcel Coulon publie dans le *Mercure de France* une lettre pour expliquer que Rimbaud ne pouvait confondre l'abeille, cet hyménoptère, et la mouche, ce diptère dont il avait parlé dans *Les Mains de Jeanne-Marie* :

Mains chasseresses des diptères.

traducteur rend ainsi le premier vers : *A sort, E hvid, I rød, O blaa, U grøn,* avec des couleurs traduites littéralement mais des voyelles dont le timbre en danois est très différent du nôtre. Du coup, l'audition colorée n'a plus de sens. Cf. Brigitte Cauvy, *En Tid i helvede, étude de la traduction danoise de* Une Saison en enfer. D. E. S. inédit, 1967, Sorbonne, Littérature comparée, pp. 61-62.

Et puis, Rimbaud savait que « personne n'a vu des abeilles bombiller (ni bombiner) autour des charognes, qu'elles soient *cruelles*, c'est-à-dire sanguinolentes, ou ternies ». Bon. Mais voici que M. Coulon conteste *bombinent* à cause, précisément, de ces diptères communément nommés *bombilles* (ceux que J.-H. Fabre appelle des *bombyles*); il reconnaît toutefois que Rimbaud écrit ailleurs :

> *Dont bombinent les bleuisons*
> *Aurorales...*

Hélas, Rimbaud, sur son manuscrit, a repris ce *bombinent* (que le *Larousse* en dix volumes refuse d'inscrire dans le répertoire de la langue française; et tant pis pour les élèves qui voudront lire le sonnet de Rimbaud). Discussion d'ailleurs futile. Tous ces mots : *bombus*, *bombidés*, *bombina*, *bombicidés*, *bombilidés*, nous renvoient au latin *bombus*, bourdonnement des abeilles, *bombinator* (doublet de *bombilator*) = qui bourdonne. Ce qu'avait entrevu un lecteur du *Mercure* dont on publia le 15 janvier 1935 une lettre datée du 29 décembre 1934. « Rimbaud, latiniste pensant à l'abeille, s'est souvenu de "bombus-bombi" qui, en latin, signifie bourdonnement des abeilles et alors il a forgé le verbe bombiner ». Non, Rimbaud n'a rien forgé du tout, car il existe un verbe latin *bombilare* ou *bombinare*, bourdonner en général (verbe d'origine onomatopéique, à rapprocher de l'allemand :

> *Summ, summ, summ,*
> *Bienchen summ herum !*

et du russe *joujjatj*).

Rassurez-vous : je n'en suis pas à la fin de mon livre des monts et merveilles suscités par l'enfant Rimbaud.

En 1934, ce Julien Vocance dont vous connaissez maintenant un poème au moins, dérivé de *Voyelles*, adressait à son ami Héraut une lettre ouverte que publia en décembre *La Grande Revue*. Il déplorait que son compère se soit du tout mépris sur les images visuelles dont il s'agit dans le sonnet.

« Rimbaud a cherché à retrouver, sous le hiéroglyphe que constitue chaque voyelle, l'objet même qui a primitivement servi à le représenter, ou dont, tout au moins, la forme se rapproche le plus du caractère tracé; puis, il a donné à la lettre figurante la couleur de la chose figurée. Ainsi, l'A majuscule a été pour lui l'emblème, le symbole, le signe même de la mouche, et il l'a vu noir parce qu'il a pensé à la mouche noire qui bourdonne autour des chairs faisandées! » De la même façon E = ε grec, « simple graphique d'un golfe, ou d'un double golfe qui, entouré, comme sur la côte méditerranéenne, de hautes montagnes, devient golfe d'ombre ». Comme je l'ai déjà dit, hélas, ce serait amusant, si du moins les golfes d'ombre illustraient la lettre-voyelle E; ils commentent le *A noir*. Tant pis. Continuons. Cheminons jusqu'au sommet de notre chemin de croix. E peut, E doit donc se lire Ш, devenant trois aiguilles de glace, puis ꟽ; et, miracle, voici devant vous dressée « la tente du chef, en forme de parasol avec son piquet central et les cordes qui font "frissonner" la toile ». Vu de la même façon, I, dans la « position verticale » dessine le flot de sang

« que rend avec son âme le guerrier d'Homère ». Quant à l'U, comment pourriez-vous ne pas le voir, creux évoquant « la cuvette, la fosse marine »; mais si vous l'évasez, c'est une « vallée fertile » en pâtis; et si vous le couchez ⊂ vous obtenez le « profil même de la ride creusée au front du penseur ». Confirmant à miracle la vision hallucinée de M. Vocance, l'O, cette fois étranger à l'*orgue*, dessine rigoureusement « depuis l'embouchure jusqu'au pavillon, en passant par l'étroit conduit d'où naît la stridence, une série ininterrompue d'O de différentes grosseurs ». Enfin, « bleu sans doute est aussi l'œil de l'amante, dont le globe est suggéré au poète par la forme même de la voyelle, et qui est l'oméga, le ravissement suprême, le chef-d'œuvre, l'aboutissement de la nature et de la création. » (Image qui avait échappé à la perspicacité de M. Faurisson.) Oui, « admirons, ici encore, avec quel art délicat, par le déplacement de quelques majuscules, transformant la trompette en Clairon du Jugement dernier, divinisant les Yeux de l'Aimée, Verlaine donne à ce tercet toute son ampleur, toute sa signification, en même temps qu'il rend plus difficile à trouver le mot de l'énigme [1] ». L'énigme, l'inconscient; nous y sommes une fois de plus. M. Vocance, hélas, est on ne peut plus sérieux. Au point de proclamer que, pour avoir mis « un point final au problème des Voyelles de Rimbaud », il mérite les « trois cent mille francs du Nobel » (qu'il accepterait de partager avec M. Héraut); mais il faudrait partager également avec M. Sausy, dont M. Vocance plagie plusieurs idées, si j'ose en la

1. Bien entendu, ce n'est pas Verlaine, mais Rimbaud.

circonstance employer un terme à ce point déplacé.

Le jury du prix Nobel eut l'indélicatesse de ne point couronner ce modeste candidat; j'incline à croire que c'est pour avoir lu, un mois plus tard, en janvier 1935, dans la même *Grande Revue*, le *non possumus* métaphysique opposé à M. Vocance par le docteur Marcel Chauzy : « Il est [...] par-dessus tout injuste de faire appel au *Larousse* et aux alphabets enluminés, lorsqu'on cherche à expliquer, prosaïquement, "quatorze des plus beaux vers d'aucune langue" [Verlaine, *Arthur Rimbaud*, *The Senate*, 1895] »

Quinze jours plus tard, dans *La Muse française* du 15 janvier, Maurice Rat renvoyait dos à dos l'omégaïsme de M. Sausy et les « démonstrations industrieuses » de M. Marcel Héraut. Refusant lui aussi de trouver dans *Voyelles* ces « navrances », ces « aspirations de l'âme humaine », il souhaitait qu'on nous donnât plutôt une édition critique de Rimbaud. A quel point il avait raison! Comme tout le monde alors, il fut victime de l'assurance avec laquelle M. Fontaine prenait Le Pirée pour un homme, et Verlaine pour Rimbaud. Dans la même revue, le même jour, un autre universitaire, M. Henri Jacoubet, entrait dans les vues, ou les visions de M. Héraut, et professait que l'énigme, certes « elle n'existe plus aujourd'hui ». Tout en célébrant le découvreur, M. Jacoubet lui, propose quelques amendements :

1° A renvoie au corselet velu de l'abeille et peut-être à un souvenir du ποτώντο ξουθάι de Théocrite et par conséquent refuse de discerner, à l'arrière-plan, la charogne de Baudelaire; A, c'est encore

Aden, pays des *noirs* — et des *squales* (à cause de *golfes d'ombre*).

2° E peut venir de Pindare Ἄριστον ὕδωρ, mais aussi de *E*verest, pour glaciers : Esponton et Estramaçon lui expliquent très bien les lances de Rimbaud, et le mot Échecs, le Roi blanc...

3° Afin de bien comprendre tout ce que Rimbaud a caché sous l'I rouge il faut penser aussi aux « éructations de Polyphème vu par Ulysse » plutôt qu'aux Indiens et aux « Hindous, lesquels mêlent « le sourire extatique aux ivresses du sacrifice »; et comment oublier *I*ncision qui nous donne le sang, le sang craché... Cent autres beautés de la sorte.

4° La *paix des rides*, c'est l'image même du poète ou Mage de Hugo; et de l'alchimiste penché sur ses tubes en U. Dans les pâtis paissent les *U*res ou *aurochs*, et l'*Ulve*, algue marine commune, exige des *mers virides*. Des *Ulves?* vous hésitez! Gens de peu de foi! Obsédé, nous enseigne M. Faurisson, par la *vulve* des femmes, comment Rimbaud n'aurait-il pas entre toutes les algues évoqué l'*ulve?* (Dire que je n'y avais jamais pensé!)

5° Enfin le violet de *Ses Yeux* exige que nous pensions à *Opale* dont les reflets sont violacés; aussi, aux ornements violets de la messe d'*Oculi*.

Après quoi, M. Jacoubet se sent fondé à renvoyer dos à dos (lui aussi!) MM. Héraut et Sausy. M. Sausy a sans doute forcé dans le sens de la « navrance »; mais peut-on accorder à M. Héraut que Rimbaud ne fait ici que s'amuser? N'oublions jamais que « la véritable poésie sera toujours celle qui aura besoin d'un second poète qui la pénètre, la complète, et y fasse entrer de force [...] ce qu'il nous plaît qui y soit, pour être bien à nous. » Autrement, et mieux dit : *mes vers ont le sens qu'on leur prête.* Sans doute; car peu de gens savent lire le sens que le poète leur *donna.*

Quelques jours après cette brillante intervention de M. Jacoubet sur les *ulves* et les *estramaçons*, un rubricard du *Figaro* dressait en ces termes le juste bilan de l'affaire : « Pour les uns, qui suivent Paterne Berrichon, l'anecdote de l'alphabet est misérable et ne saurait tenir une place valable dans la genèse du poème où Rimbaud se montre *l'alchimiste du verbe* par excellence. Pour les autres, l'abécédaire au contraire est décisif, il explique tout, et sa découverte dégonfle *l'alchimie verbale* comme une billevesée. » Il conclurait volontiers que, même si l'abécédaire fut un prétexte, une des sources du poème, il ne saurait l'avoir *donné*, car « tous les enfants qui en ont eu entre les mains n'y ont pas trouvé des vers comme

O l'Oméga, rayon violet de ses yeux [*sic*, sans majuscules] »

Non, tout le monde, et tant mieux, n'a pas trouvé des vers aussi douteux que celui-ci. Aussi ambigus, en tout cas.

DIXIÈME RÉCRÉATION

(très dans le vent)

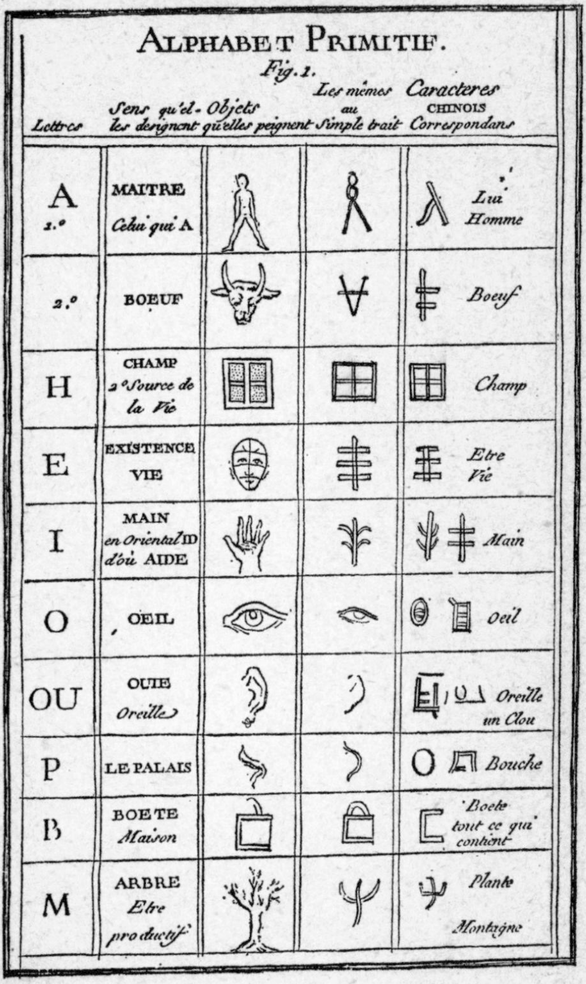

Alphabet Primitif.

Fig. 1.

Lettres	*Sens qu'elles designent*	*Objets qu'elles peignent*	*Les mêmes au Simple trait*	*Caracteres* CHINOIS *Correspondans*
A 1.°	MAITRE *Celui qui* A			*Lui* *Homme*
2.°	BOEUF			*Boeuf*
H	CHAMP 2.° *Source de la Vie*			*Champ*
E	EXISTENCE VIE			*Etre* *Vie*
I	MAIN *en Oriental* ID *d'où* AIDE			*Main*
O	OEIL			*Oeil*
OU	OUIE *Oreille*			*Oreille* *un Clou*
P	LE PALAIS			*Bouche*
B	BOETE *Maison*			*Boete* *tout ce qui contient*
M	ARBRE *Etre productif*			*Plante* *Montagne*

Hist. Natur. de la Par P. 124.

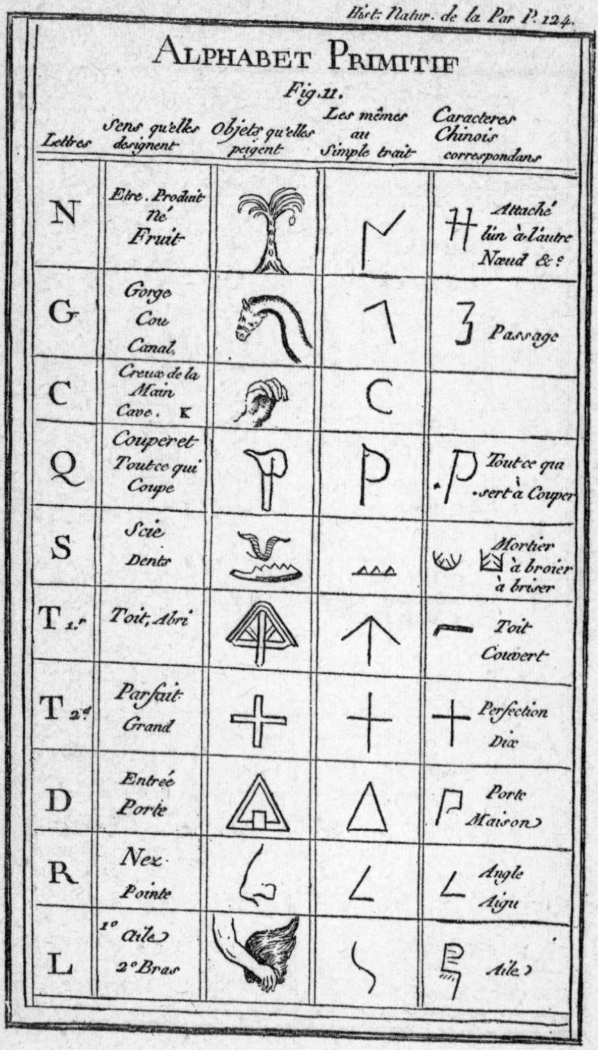

Alphabet Primitif

Fig. 11.

Lettres	Sens qu'elles designent	Objets qu'elles peignent	Les mêmes au Simple trait	Caracteres Chinois correspondans
N	Etre. Produit Né Fruit			Attaché l'un à l'autre Nœud &c.
G	Gorge Cou Canal.			Passage
C	Creux de la Main Cave. K			
Q	Couperet Tout ce qui Coupe			Tout ce qui sert à Couper
S	Scie Dents			Mortier à broier à briser
T 1.r	Toit, Abri			Toit Couvert
T 2.d	Parfait Grand			Perfection Dix
D	Entreé Porte			Porte Maison
R	Nez Pointe			Angle Aigu
L	1° Aile 2° Bras			Aile

Chapitre X

LA QUERELLE DES ABÉCÉDAIRES, III

(1935-1955)

Par chance, quelques esprits moins sublimes, ou moins futiles, ont su parler plus discrètement de cet éventuel abécédaire.

Avant la publication du texte de M. Fontaine, dès le 21 mars 1933, Gérard Bauër faisait une conférence à l'Université des Annales, pour y soutenir courageusement (étant donné son public, l'un des plus conformistes de Paris) que le sonnet des *Voyelles*, s'il reste un des plus célèbres, n'est pas « l'un des meilleurs » poèmes de Rimbaud : « on peut affirmer, avec beaucoup de vraisemblance, qu'il s'agit là d'un alphabet en couleurs tel qu'on en donne aux enfants »; toutefois, « au lieu des gravures naïves que les illustrateurs y placent pour l'enfance, Rimbaud y a substitué des images particulières et assez insolites. Il ne serait pas trop difficile, si je ne craignais de vous lasser, de vous montrer leurs origines. Ces "mouches noires autour des puanteurs" sentent vraiment le Baudelaire d'*Une charogne ;* l'U vert

Que l'alchimie imprime aux grands fronts studieux

lui vient apparemment des romans illustrés où des hommes verdâtres accomplissent des miracles.

» Un seul vers, le dernier, emprunte sa substance à une poétique réalité :

O, l'Oméga, rayon violet de ses yeux [*sic*]

car Rimbaud avait rêvé sur quelqu'une de ces jeunes filles qu'il rencontrait et qu'il orna de la beauté de ses désirs et de ses songes. »

Quoique peu enclin à interpréter le dernier vers comme fait ici Gérard Bauër, je reconnais qu'il a sans doute raison en réduisant ainsi le rôle de l'abécédaire.

Vers le même temps, à Melbourne, un universitaire australien, M. A.R. Chisholm, reprenait dans *Towards Herodiade* (1934) une idée qu'il avait déjà proposée en 1930 dans *The Art of Arthur Rimbaud* : « Il est probable que ce poème, dont on discute tant et tant, est aussi, en partie du moins, le simple souvenir des associations que tout enfant il établissait entre les voyelles et les illustrations coloriées qui les accompagnaient dans son abécédaire; de plus, Rimbaud lui-même se moque de tout son système, qu'il appelle "l'histoire d'une de mes folies". Quoi qu'il en soit, cet aspect particulier de l'alchimie verbale avait été complètement élaboré par le romantisme allemand. » M. Chisholm souhaite apparemment concilier le rôle de l'abécédaire et la théorie de l'audition colorée.

Se mesurant à son tour au sonnet dans une *Étude sur le style des symbolistes français* qu'il publia en 1944, un autre universitaire, un Danois celui-là,

M. Svend Johansen, examine l'hypothèse de Gaubert, constate que « la concordance entre ces couleurs et celles de Rimbaud est frappante », à l'exception du jaune (là même, il essaie de s'en tirer : « la différence plus ou moins grande entre le jaune et le blanc dépend tout d'abord de la nuance de la couleur jaune »); il croit même observer « une parenté frappante entre les métaphores de Rimbaud illustrant les lettres et certains des mots » de l'abécédaire en question : *Mouches éclatantes* lui semble correspondre à l'image de l'*Abeille ; Émir*, *Étendard* lui évoquent les « candeurs des vapeurs et des *tentes* »; jusqu'aux *lances des glaciers fiers*. De la même façon il déduit d'*Injure : la colère ou les ivresses pénitentes*. L'hypothèse de Gaubert serait probablement la bonne; il convient en tout cas d'en tenir compte, puisque de toute évidence le poème de Rimbaud n'illustre pas l'audition colorée (ce qui en réduit l'importance historique).

Dix ans plus tard, un universitaire français interroge les *Voyelles* en quinze pages de la *Revue d'Histoire littéraire de la France*. *Rimbaud l'Apprenti Sorcier : en rêvant aux Voyelles*, et soutient que « Rimbaud n'est pas parti des couleurs pour les assimiler à des lettres choisies, les voyelles, dont les objets énumérés seraient des échantillons imagés, à valeur plus ou moins symbolique; car une couleur, le jaune, y manquerait sans motif et affaiblirait la valeur du système, si système il y avait. Rimbaud semble être parti des lettres, nommément des lettres fondamentales, les voyelles, et des mots qu'elles amorcent, pour surprendre entre les mots — au moins certains mots — commencés par la même lettre, une concordance profonde de sens, de climat, qui pouvait se rendre sensible par une couleur correspondante. »

Des exemples ? Ce n'est pas un hasard, doit penser l'enfant Rimbaud, « mais un mystère, si *alambic*, *alchimie*, *anathème*, *arcane* » commencent par la voyelle A ; « ni si *épée*, *épieu*, *épine*, *esquille*, *écharde*, *éperon*, etc. assignent à l'E la pointe ; ni si une musique sonore se donne rendez-vous à O : *orchestre*, *orgue*, *orphéon*, *ophicléide* voire *ocarina*. » Dans l'hypothèse de M. Barrère, chaque lettre du dictionnaire (et non plus de l'alphabet, et non plus de l'abécédaire) jouerait le rôle d'une véritable *matrice*. A n'est pas noir en soi, mais parce qu'à la planche des *arthropodes*, sous A, « s'étale obscènement l'*abdomen* de la mouche ». Etc.

A quoi je répondrai que *pointe*, *pique*, *pioche*, *piquet*, sont aussi pointus qu'un *esquif*, ou une *échine* (que cite M. Barrère comme symboles de la pointe) mais commencent par un P ; ou encore, que la candeur des *vapeurs et des tentes* ne saurait évoquer le « sillage d'écume des *steamers* », parce que, replacé dans le contexte, le mot ne saurait s'interpréter de la sorte ; de la même façon, je ne puis voir aux « frissons d'ombelles » l'*euphorbe* lactescente qui, pressée, donne un lait blanc, alors qu'il est évident que Rimbaud se réfère à toutes les inflorescences en ombelles que le vagabondage lui avait permis de voir blanches en effet, bien souvent, et qui frissonnent au moindre vent. M. Barrère me persuadera malaisément que les animaux semés sur les pâtis sont les vaches (ou les *ures*, pour justifier à tout prix la lettre U), ou que Rimbaud, pour composer le dernier tercet, hésita entre *orchestre*, *orphéon*, *ocarina*, *ophicléide* ou *oliphant*. Bien que son « hypothèse investigatoire », comme il dit curieusement, ne me paraisse pas défendable, je lui sais gré d'avoir çà et là entrevu un fragment de vérité : les *rois blancs* lui sont peut-être et me sont évidemment les émirs, drapés dans leur gandourah (cela, soit; non pas, comme il le suggère aussi, le *roi blanc* des échecs); mais je ne croirai jamais que Rimbaud ait dû les chercher dans un dictionnaire, ou les trouver dans un abécédaire. Outre que son père servait en Algérie dans les bureaux arabes, tous les périodiques que nous savons qu'il lisait — ceux que je lus cinquante ans plus tard — prodiguaient les images de chefs arabes, de leur *smalah*, de leurs tentes : *La Bibliothèque des merveilles*, par exemple. C'est également là qu'il se forma son image des glaciers, image ridicule à tout apprenti glaciériste. Ce que reconnaît M. Barrère, quand il commente *lances des glaciers fiers* : « Certainement, le jeune Rimbaud n'a pas été y voir. » L'arbitraire de son système n'a pas empêché non plus M. Barrère d'entrevoir le sens du tercet final : il comprend que le *suprême Clairon* évoque, après Hugo du reste, la trompette du Jugement dernier, et que l'Oméga, ou l'œil dans un triangle constituent deux signes banals (il dit « mystiques ») de la symbolique chrétienne; que les Mondes et les Anges — où je ne distingue rien de « prophétique » — font allusion eux aussi à la cosmologie chrétienne. Si je me garde bien de prendre au sérieux la note qui rappelle, après Richer, que « les cinq voyelles forment le nom du Créateur : IAOUE ou IEOUA », Jahvé, Jehovah, c'est que Ponge, lui, a remarqué que le mot *oiseau* contient les cinq voyelles.

M. Barrère sans doute objecterait que l'une des trois hypostases de son Dieu, le Saint-Esprit, se déguise en oiseau pour engrosser les vierges; mais c'est retomber en péril de pseudo-mystique. Néanmoins, je sais gré à M. Barrère de ne pas refuser l'évidence : bien éloigné de nous représenter le septième ciel des amants, le dernier tercet nous impose d'imaginer le Jugement dernier de la fable catholique, et de nous rappeler que l'enfant Rimbaud, tout encombré encore de lectures fraîches, mal digérées, mêle à des souvenirs de catéchisme une seconde réminiscence littéraire, celle que M. de Bouillane de Lacoste fut le premier, je crois, à déceler :

Le rayon d'or qui nage en ses yeux violets.

De sorte que, dans l'esprit gourmand et confus de l'adolescent, Leconte de Lisle (qu'il appelle « le bon Parnassien ») fait ménage de déraison poétique avec des bribes d'instruction religieuse.

Je me garderai encore plus scrupuleusement d'admirer en ce sonnet une « apparente logique (s'il y en a une) » qui porte Rimbaud à « s'élever de l'ici-bas à l'au-delà ». Quand Rimbaud composa ces quatorze vers provocants, ce que nous savons qu'il pensait alors de Dieu, des anges, de la religion catholique, nous interdit de l'abigoter. Prétendre, avec M. Barrère, que si Rimbaud intervertit O et U c'est « probablement dans l'intention de réserver O pour la fin, comme une forme parfaite (le cercle) et hautement significative et symbolique (Dieu) », c'est pécher contre l'esprit, c'est trahir « l'enfant gêneur, la si sotte bête » : Rimbaud.

Derrière les mots dont celui-ci se servit tant mal que bien pour rimer ces quatorze vers, lorsque M. Barrère déchiffre un « vocabulaire *réservé* », un « vocabulaire caché » : *Ordres* (les ordres des anges) et *Orbes*, sous la voyelle O; ou encore, sous I, les mots *Ire* ou *Ichor*, à cause de la *colère*, du *sang craché* (comme si le *sang craché* des soldats blessés ou des *poitrinaires* ne suffisait pas à justifier celui du poème), non, à aucun prix, je n'entrerai dans ces jeux dont se rassote notre époque, et dont le siècle prochain rira, ou périra.

Mais comment contester à M. Barrère le droit de noter quelques allitérations, ou jeux vocaliques : *paix des pâtis, vibrements divins des mers virides?* J'aurais aimé qu'à cet endroit il avouât que ces effets d'*i*, de *v*, de *p*, ne s'obtiennent qu'au prix de trois impropriétés : *vibrements*, *divins*, *virides* (dont l'un au moins date fâcheusement : *viride ;* dont l'autre est bien plat : *divin ;* dont le troisième, *vibrement*, ne vaut rien quant au sens (pardon! quant à la *sémantique*). Emporté par son système, par sa foi, M. Barrère ne voit que l'allitération en tant que telle, n'examine pas si l'allitération valait tant d'imprécision.

Quoique le postulat de M. Barrère me semble indéfendable, l'expérience qu'il eut de l'explication de textes — cette bête noire de nos critiques à la page — lui permet de ne pas trop mal s'en tirer, en gros : « Ombre et pourriture d'abord, au ras de terre, nous rappellent notre mortelle origine et le néant d'où l'homme est tiré et auquel il doit retourner. Pourtant, toutes sortes de blancheurs nous invitent à l'éminence temporelle ou spirituelle. Mais la nature nous tient : le principe vital qui nous anime, le sang rouge, est aussi le véhicule de nos passions dégradantes. La sagesse naît aux balancements ordonnés qui nous entraînent dans le sillage universel. Quand y retentit pour nous l'appel de l'Être, répercuté à travers les espaces silencieux et priant, un rayon suprême descend sur nous et nous tire de notre condition. »

Quand on pense un peu sérieusement à ce qu'était la vie de Rimbaud en ce temps-là, à ses idées, à ses valeurs, le spiritualisme dont on l'accable ici me gâte le plaisir que j'allais prendre à voir enfin surgir quelques bribes d'idées passables. Qui nous délivrera enfin des belles âmes ! Que les *Voyelles*, si elles veulent dire quelque chose, ce soit quelque chose comme cela, aucun doute ; mais *quelque chose comme* cela ; cela, non pas. M. Barrère est trop proche des interprétations qu'il loue chez M. Hackett (la « voie mystique ») ou chez Claude-Edmonde Magny (les « associations occultistes »), celles qui découvrent dans *Voyelles* « un contact avec l'Absolu ». Nous n'y couperons donc pas. Notre Nuit de l'Enfer n'est pas encore finie. Courage, carcasses ! Le prochain chapitre, je vous préviens, sera de tous le plus désespérant.

ONZIÈME PETITE RÉCRÉATION

(on ne peut plus littéraire)

A noir, E blanc, I rouge, U vert, O bleu, voyelles.

EL MALAGUENO

Celui qui fracassa [a]
Un art trop compassé, [é]
L'œil en grain de cassis, [i]
C'est M. Picasso. [o]
Tout l'univers l'a su. [u]

André Salmon, *Vocalises*,
in *Nouvelle Revue française*, février 1955.

Chapitre XI

LES INTERPRÉTATIONS MYSTICO-THÉOLOGIQUES

M. Faurisson mis à part, les interprétations que j'étudiai jusqu'ici se répartissent en deux familles : celles qui traitent *Voyelles* en poème de l'audition colorée; celles qui, déclenchées par la publication d'un texte fautif qu'on prit aussitôt pour le bon, s'ingénient à déchiffrer sous les images entassées dans le sonnet des réminiscences plus ou moins volontaires d'un alphabet colorié.

Enfin, Gengoux parut! aux Éditions de la Colombe (ce qui convient au penseur « spiritualiste », comme on dit aujourd'hui, pour masquer les coquecigrues du parapsychisme, de la pseudo-kabbale, des guérisseurs, de *Planète*, et autres entreprises de décervelage). Aux pages 78-109, il interprète *Voyelles* par l'*Histoire de la Magie*, d'Eliphas Lévi, Paris, éditions Baillière, 1860. En dépit de tout ce qu'on prétend, ici ou là, nul ne peut affirmer que Rimbaud ait connu cet ouvrage; mais rien ne prouve qu'il ne l'a pas lu [1]. Féru de livres idiots, comme il l'avoue dans

1. Admirez M. Canseliet, grand alchimiste paraît-il, qui s'est rendu à la bibliothèque de Charleville « où il a retrouvé deux ouvrages qui résumaient les traités d'alchimie du XVIIe siècle que dut lire

la *Saison*, j'admets donc que Rimbaud ait fréquenté cet Eliphas Lévi (l'ex-abbé Constant). Ne trouvez-vous pas déjà inquiétant que, pour expliquer Rimbaud, un défroqué ne trouve de recours que dans un autre défroqué, et quel : aussi peu défroqué que faire se peut; capable tout au plus de lâcher le christianisme pour la magie. Parmi les hommes que j'admire le plus aujourd'hui figurent un joli nombre de défroqués devenus ou bien de parfaits écrivains, ou bien de vrais savants; mais quand une nonne quitte son ordre, un curé son Église pour tomber de Charybde en Scylla, et de théologie en imposture magicienne, comme je regrette qu'ils ne soient pas restés dans leur Église, dans leur couvent, où du moins on les aurait défendus contre leurs divagations.

Mettons que Rimbaud ait lu Lévi, lequel parle en effet du « secret des Mondes et des Anges », ce qui pourrait, *à la rigueur*, expliquer l'expression « silences traversés des Mondes et des Anges ». Gengoux suppose également que Rimbaud a lu l'*Introduction à la Philosophie de Hegel*, par Vera, qui parut en 1864. Sa thèse sur *La Pensée poétique de Rimbaud*, qui parut chez Nizet en 1950, et qui ne compte pas moins de 673 pages in-8°, soutient que l'écolier Rimbaud aurait identifié l'absolu selon

l'auteur des *Illuminations*. De sa découverte, M. Canseliet tire des conclusions fort intéressantes. » M. Canseliet ne manquera donc pas de citer ces deux vers de Rimbaud sur l'alchimie :

> *Mais la noire alchimie et les saintes études*
> *Répugnent au blessé, sombre savant d'orgueil;*

avec les deux adjectifs médiocres « noire » et « saintes », dont Rimbaud alourdit les substantifs du premier vers. Ce lui sera l'occasion de démontrer que Rimbaud s'adonne passionnément à l'alchimie... puisqu'elle lui *répugne*.

Hegel et ce que Lévi considère comme la « loi d'équilibre », celle qui établit l'harmonie entre le principe actif et le principe passif qui alternent dans l'ordre de l'univers. Cette thèse n'est pas aussi bouleversante que vous pourriez le croire : dès 1938 Miss Starkie avait comparé Arthur Rimbaud à Eliphas Lévi; au Lévi des *Clefs des grands mystères*, notamment à propos du rôle de la douleur dans la création poétique. Gengoux pousse plus loin, puisqu'il affirme que « l'idée la plus nette, et d'ailleurs suffisante pour expliquer l'essentiel du poète, se trouve dans *le seul Lévi*, en particulier dans son *Histoire de la Magie*, dont la doctrine et les expressions seront démarquées par Rimbaud ». Je conviens qu'on trouve chez Lévi des *Anges* et des *Mondes*, comme dans le sonnet des *Voyelles;* bien avant Gengoux, j'avais découvert, et publié qu'un certain nombre des poèmes les plus célèbres de Rimbaud, ne sont que des à la manière de... parfois féroces, de poèmes alors célèbres : *Mes petites amoureuses* par exemple. Rimbaud excellait au pastiche (l'*Album zutique* le prouve). Cette part au moins de la thèse de Gengoux est recevable qui confirme ce que nous savions : que beaucoup d'œuvres de l'enfant Rimbaud ne furent, comme il l'avoua lui-même, que des « rinçures »; ou, comme l'écrit Octave Nadal que de « féroces larcins utilisés [...] à des fins parodiques [1]. » A partir du moment où Gengoux croit pouvoir prétendre que, dès l'âge de quatorze ans, dès le temps des vers latins du Concours général, Rimbaud avait élaboré une synthèse dialectique, *en cinq temps*,

1. *Revue d'histoire littéraire de la France*, 1951, p. 224.

de la pensée de Lévi et de celle de Hegel, je dois prendre mes distances. Car M. Gengoux n'est pas seul à nous proposer *une* source qui expliquerait l'œuvre *entier* de Rimbaud. Du temps de Rolland de Renéville c'était plutôt la *Baghavad-Gita* et la mystique de l'Inde. Plus récemment M. Pierre Caddau affirme que vint un temps où Rimbaud, qui avait toujours emprunté beaucoup aux *Voyages* du capitaine Cook, fut « contraint » de lui emprunter « tous les mots essentiels de son vocabulaire ». Rimbaud écrit « et les ailes se levèrent, sans bruit »; Cook, « une grosse troupe de canards sauvages se levèrent devant nous ». Rimbaud écrit : « A la grand'ville elle fuyait »; Cook, « un des naturels s'enfuit ». Rimbaud écrit : « ma camarade, mendiante, enfant monstre ! »; Cook, « ce peuple ne perd jamais aucune occasion de mendier ». Rimbaud parle des « embankments d'une Venise louche »; Cook, de grands bâtiments « dont la forme ressemble aux gondoles de Venise ». Voilà bien la preuve que Rimbaud a *tout* copié chez Cook.

On sait depuis longtemps que Rimbaud exploita sans doute les *Voyages* du capitaine Cook; je le disais voilà trente ans à l'occasion d'une étude sur les sources du *Bateau ivre* [1]. De fait, *Parade*, cette illumination sur laquelle on accumula tant de sottises contradictoires, pourrait fort bien avoir retenu, d'un passage de Cook, le couple curieux des noms propres « Chinois, Hottentots ». Cela excepté, il ne reste *rien*, dans *Parade*, de ce qui fait l'intérêt du *Voyage*. Il suffit de lire, chez M. Pierre Caddau lui-même, les textes qu'il rapproche.

1. Cf. *Poètes ou faiseurs*, Gallimard, 1966.

Le même parti pris donne à M. Gengoux l'explication des *Voyelles*.

Pour Lévi « Le blanc est la couleur de la quintessence. Vers son pôle négatif, cette couleur se condense en bleu et se fixe en noir ; mais vers son pôle positif, elle se condense en jaune et se fixe en rouge.

» La vie rayonnante va donc toujours du noir au rouge, en passant par le blanc ; et la vie absorbée redescend du rouge au noir en passant par le même milieu. » Voici comment M. Gengoux exprime graphiquement cette symbolique des couleurs :

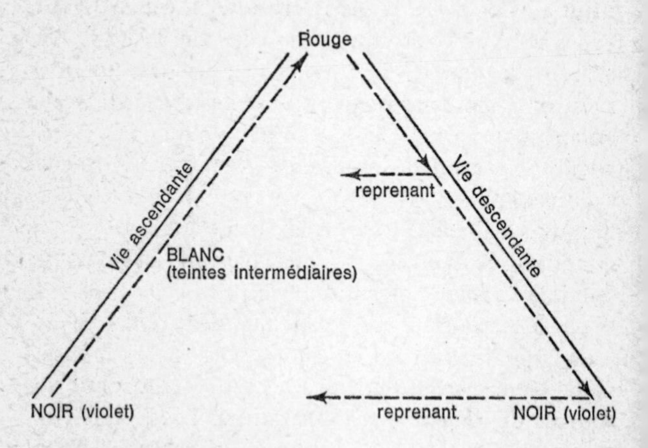

M. Gengoux poursuit : « On voit tout de suite l'analogie avec le mouvement du sonnet des voyelles. Mais une difficulté surgit très grave. Le blanc, qui, chez Lévi, est la quintessence, l'idéal, se trouve chez Rimbaud dans E, non en O. Rimbaud n'aura donc retenu de la théorie que cette analogie du mouvement ascendant, correspondant bien à sa conception (originale) de la vie humaine : vie ascendante de A à I, les deux extrêmes du spectre, descendante (en apparence) avec la vieillesse et la mort U, retraversant le domaine de E (sur le plan du savoir), pour retrouver en O la réalité du point de départ. La réalité rugueuse... paysan *(Adieu)*, l'eau froide et noire *(Bateau ivre)*, rayon violet (voisin du noir) de Ses Yeux *(Sonnet des voyelles)*. » Ici une note, qui précise que *Elle, La, Toi*, dans *Rêvé pour l'hiver, Roman, Bruxelles* désignent toujours la *Femme*.

M. Gengoux est bien bon de nous proposer cette difficulté; meilleur encore en la résolvant comme il fait. Pour moi, j'en ai trouvé bien d'autres pour concilier la dialectique hégélienne en *trois temps* (thèse, antithèse, synthèse) avec la prétendue dialectique de Rimbaud en *cinq temps* et pour accorder aux quatorze vers de *Voyelles* les élucubrations de Lévi dans son *Histoire de la Magie*. Je m'en suis expliqué aux pages 112-115 de la seconde édition de la *Structure du mythe*, à quoi je vous renvoie. Comme j'ai la réputation de ne rien comprendre à rien, et notamment à la poésie, mes reproches pourront vous sembler sans valeur. Bien que, dans *Rimbaud le poète* [1] M. Chadwick déclare que je « procède à une démolition féroce, mais à [s]on avis, salutaire de la thèse vraiment trop fantastique de J. Gengoux », je ne m'en prévaudrai point. Plus convaincante pour tout le monde, je suppose, la pensée d'Octave Nadal, dont nul que je sache ne conteste le goût et le tact quand il s'agit d'apprécier, de gloser un poème. Vers le temps où j'écrivais

1. *Revue d'Histoire littéraire de France*, 1957, p. 207, n. 1.

ces pages sur Gengoux, voici ce qu'il écrivait, lui : « M. Gengoux ayant précisé l'ordre et la succession des cinq catégories du plan dialectique rimbaldien : A (ni principe actif ni principe passif) E (principe passif seul) I (égalité des deux principes dans le point suprême de l'équilibre), ne peut faire correspondre que trois catégories sur cinq de la dialectique rimbaldienne avec les trois moments du ternaire ésotérique de Lévi. En particulier, pour la première catégorie de Rimbaud, il écrit (p. 45) : "Pour (A) rien de spécial à noter chez Lévi." On s'y attendait. Pour les autres catégories, M. Gengoux tire de l'*Histoire de la Magie* un certain nombre de citations qu'il classe arbitrairement dans telle ou telle catégorie de la dialectique rimbaldienne, tout en laissant entendre à son lecteur qu'elles sont bien rapportées chez Lévi aux cinq phases d'un schéma équivalent à celui qu'il prête à Rimbaud. Toutefois il n'attribue pas encore explicitement à Lévi la dialectique à cinq phases ; il se contente de suggérer qu'on peut découvrir chez le kabbaliste quelque identique dialectique disposée comme chez Rimbaud en cinq catégories.

» Poursuivant sa démonstration, M. Gengoux cite une page de l'*Introduction à la Philosophie de Hegel* sur l'idée absolue ; il se croit autorisé à affirmer : "Et comme cette Idée n'est autre que la synthèse harmonieuse de Lévi, *il* [*Rimbaud*] *coule le tout dans le moule déjà construit de sa dialectique aux cinq phases* (C'est M. Nadal qui souligne). On se souvient en effet que pour Lévi, les deux principes directeurs et discriminateurs universels sont le principe actif et passif, en tous les sens analogiques des termes, en ceux par exemple de vérité et de beauté. On aura..." Suit le schéma dialectique indiqué plus haut et l'amorce de figures correspondantes. Ce « on aura » jette à nouveau le lecteur dans l'inquiétude. De qui s'agit-il ? De Rimbaud, de M. Gengoux, du lecteur qu'on invite à participer à la déduction ? A qui attribuer l'invention du plan dialectique à cinq phases ? M. Gengoux nous répond : "On se rappelle que, pour Lévi, le secret de la génération des Anges et des Mondes ou "secret des sciences occultes" de la toute-puissance de Dieu, *est le principe d'équilibre atteint par une dialectique aux cinq phases* (c'est M. Nadal qui souligne) dont l'Introduction et le chapitre sur les poèmes latins ont permis de constater le parallélisme avec les Cinq parties du Sonnet des Voyelles. " On croit rêver : ni l'Introduction ni le chapitre sur les poèmes latins n'avaient permis de constater le parallélisme du ternaire ésotérique avec la dialectique aux cinq phases, à plus forte raison leur identification. Ce qui n'était qu'attribué à Rimbaud est mis ici allégrement au compte du kabbaliste. Mais où donc M. Gengoux a-t-il trouvé chez Lévi que le fameux ternaire (principe passif et actif et leur résolution dans le point suprême) *était atteint par une dialectique aux cinq phases?* Une hypothèse dont M. Gengoux décidément ne tient pas à endosser la paternité, est tour à tour suggérée au lecteur (on aura...) puis elle est prêtée à Rimbaud et devient enfin une conception de Lévi; mieux : elle *est* dans Lévi ! »

Je pourrais m'arrêter ici : du moment qu'il est patent que M. Gengoux prête à Lévi une théorie que celui-ci n'a jamais formulée, nous pourrions tenir pour nulle et non avenue son explication de

Voyelles. Je serai bon, bon comme la romaine : je donnerai encore sa chance à cet infortuné kabbaliste et je citerai à nouveau Octave Nadal : « La dialectique symbolisante de Lévi reflète, on le sait, pour les couleurs, les trois moments du ternaire dialectique. Noir, blanc, rouge, pour la vie rayonnante : rouge, blanc, noir pour la vie absorbée. Que propose le Sonnet des *Voyelles* de Rimbaud ? Cinq couleurs : noir, blanc, rouge, vert, bleu, correspondant aux voyelles A, E, I, U, O. Je signale en passant que ce rapport de voyelle à couleur n'existe pas chez Lévi ; que d'autre part Rimbaud ne parle que d'alchimie verbale ("J'*inventai* la couleur des voyelles !") Mais ce qui saute aux yeux, *l'absence de correspondance des couleurs* entre les deux systématisations, gêne fort M. Gengoux qui écrit avec désinvolture : " On pourrait discuter la parfaite identité entre la doctrine de Rimbaud et celle du maître Eliphas Lévi. Cette dernière est dans ses recoins assez subtile et comme elle ne nous retient pas pour elle-même, il vaut mieux passer à un second emprunt." C'est qu'il n'avait pu faire que le bleu (violet) de Rimbaud soit le noir de Lévi ; que le blanc, au centre du ternaire ésotérique, ne se trouve dans la seconde étape rimbaldienne ; qu'enfin l'ordre du sonnet allant du rouge au bleu, dans ses trois dernières catégories (ce qui pourrait à la rigueur correspondre à la "vie absorbée" de Lévi) passe par le blanc et non par le vert [1]. »

Arrivé à ce point, il ne reste plus qu'à m'offrir la joie de vous citer un autre texte, écrit au moment même où M. Nadal composait sa recension de Gen-

1. *Revue d'Histoire littéraire de la France*, 1951., pp. 224-226.

goux, et dont l'auteur ne pouvait connaître l'étude alors inédite que je viens de citer longuement : « La vie rayonnante va toujours du noir au rouge, en passant par le blanc. A noir, E blanc, I rouge. C'est vrai, je passe du noir au blanc, du blanc au rouge! La vie absorbée redescend du rouge au noir en passant par le même milieu. I rouge, U vert, O bleu. Du rouge au bleu, je passe par le vert, moi qui croyais que Lévi me conduisait du rouge au noir! [...] Le même milieu, c'est-à-dire le blanc. Or je lis chez Rimbaud : *I rouge, U vert, O bleu.* Cette "analogie", je ne puis la percevoir qu'en admettant avec cet exégète que le bleu est noir, et blanc le vert. Sur ce vert blanc, silence [...] Ou bien confessez que le *vert* de Lévi et le *blanc* de Rimbaud sont doués d'une "identité analogique mais réelle"; ou bien confessez que toutes vos lumières, que toutes vos lanternes, sont autant de vessies. Il y a chez Rimbaud, je le sais, de l'*azur* qui est *noir ;* mais je sais que l'on parle volontiers de *bleu corbeau* et que ces impressions visuelles n'ont rien à voir avec les billevesées de M. Gengoux. » Vous voyez donc qu'un autre critique au moins, et qui n'avait pas lu ce texte de M. Nadal, emploie ou peu s'en faut l'argument décisif de cet excellent critique. Cet autre critique, c'est moi, l'idiot du village, dans la *Structure du mythe.*

Aucun doute, je l'espère, ne subsiste en vous touchant l'interprétation kabbalistique et magicienne des *Voyelles* [1]. Il s'agit là d'un délire caractérisé

1. C'est pourquoi sans doute la thèse de M. Alain Mercier sur *Les Sources ésotériques et occultes de la poésie symboliste (1870-1914)*, soutenue le 9 décembre 1966, ne souffle mot des réserves que j'ai osé formuler contre l'interprétation magico-kabbalistique de *Voyelles*

d'interprétation; d'interprétation paranoïaque critique, à mettre dans le même sac que celles de M. Faurisson ou de M. Salvador Dali quand il vaticine sur *l'Angélus* de Millet. Je suis fâché que Miss Enid Starkie ait donné dans ce dada du siècle. De même que l'alchimiste qui cherche à fabriquer de l'or obtient d'abord dans sa cornue du noir, couleur de la putréfaction, puis du blanc, symbole de la pureté recouvrée, après quoi l'ensemble vire au rouge, qui prélude à l'apparition de l'or; mais il arrive que le rouge devienne vert, puis dégénère en bleu, ce qui signifie que l'expérience est manquée et qu'il faut tout recommencer... J'imagine l'exégète qui en conclurait que, si Rimbaud n'a point mentionné la couleur jaune dans ce sonnet, c'est parce que l'or est *jaune*, et que livrer cette couleur ce serait livrer le secret de l'alchimie. Il me paraît plus important d'observer, avec M. Chadwick, que si le jaune ne figure point dans les couleurs du sonnet c'est à peu près sûrement parce que cette couleur est peu fréquente chez Rimbaud. Pour Rimbaud première manière, le jaune « joue un rôle nettement moins important

et autres arcanes. Aux pages 172-191, je lis donc un ramassis des ragots colportés par Rolland de Renéville, Gengoux et autres grands initiés. Bref, « les symbolistes, qui furent parfois plus savants en occultisme que Rimbaud [d'où je dois conclure que celui-ci était quand même savant en ce domaine], allèrent rarement aussi loin que lui dans la compréhension de la pensée ésotérique par le génie verbal » [d'où je dois conclure que je n'entends goutte à *Voyelles*, à *Une Saison*].

Malgré tout, M. Mercier fait un peu vieux jeu. C'est du côté du *zen* qu'il faut chercher maintenant; du *zen*, ou du *zaine*, ce *zen* du pauvre. On amalgame ingénieusement cette doctrine bouddhique avec l'audition colorée. J'en trouve trace dans le *Mercure de France*, XII, 1963, p. 830.

que les cinq couleurs du sonnet des *Voyelles* ».

Non décidément, ce n'est point vers la magie, ou l'alchimie, qu'il faut chercher le secret des *Voyelles*[1]. Dans les nombreuses rééditions et traductions de son ouvrage, alors que Miss Starkie renonce à expliquer Rimbaud par Ballanche, elle s'obstine encore à Eliphas Lévi[2].

Après Starkie, après Gengoux, on tentera pourtant bien des fois de rattacher *Voyelles* à la mystiquerie en vogue, à la folie. Dans une note publiée au numéro 18 du *Bulletin de la Société des Amis de Rimbaud* (juillet 1964), un des connaisseurs de Rimbaud en Allemagne, M. Curd Ochwadt, signale que le Pasteur Heinrich Buhr a publié en 1962 dans *Almanach Zehn Jahre, Neske Verlag (Dix années de l'édition Neske)* à Pfullingen, une Lettre de Pfrondorf *(Brief aus Pfrondorf)* où il étudie *Voyelles*

1. Je lis chez M. Jacques Plessen, *Promenade et poésie* : « Il est certain que Rimbaud, à la suite des Romantiques, a remis en honneur les idées magiques qui depuis des temps immémoriaux ont été attachées au système de l'alphabet [...] La lettre est ainsi la " formule " par excellence où l'on a réussi à comprimer tout un secteur de réalité, voire la réalité entière » (p. 299) et, p. 301 : « La plus célèbre spéculation sur la perfection circulaire de l'alphabet est bien celle de saint Jean, qui fait dire à Dieu : "Je suis l'Alpha et l'Oméga, le Principe et la Fin" (Apocalypse, 21, 6). » Or, de même que l'A est la première lettre de l'alphabet « le noir est facilement conçu comme une origine » (p. 303), d'où le second « principe structurant » du sonnet, celui des couleurs. Devant ce genre de certitudes, il ne me reste qu'à me taire. Il est vrai qu'en 1967 le nouvel avatar du Dieu-Rimbaud sera forcément *structuraliste*, puisque tous les engouements du siècle, il est écrit que Rimbaud les aura prophétisés, pressentis, ou clandestinement réalisés : le « cinéma » (pour René Clair), et maintenant le « structuralisme ». J'imagine Lévi-Strauss plus irrité encore que moi devant ce galvaudage, cette perversion de sa méthode!

2. Par exemple, dans la dernière édition allemande de *Das trunkene Schiff*, Hambourg, Leibniz Verlag, 1963.

du point de vue si j'ose dire théologique. A cette fin, « il utilise une traduction qui omet l'*I rouge* et qui change l'*U vert* en un *I vert*. Puis il y trouve une *Histoire alchimique de changements, de déplacements et de transitions* qui mène d' "un autre tohu-bohu" du commencement, la création de la vie (A) à travers les étapes (E, I, U) jusqu'à l' "O des louanges" qui est aussi le son des trompettes du jugement dernier. L'auteur connaît sa théologie, conclut M. Curd Ochwadt. Mais pour interpréter Rimbaud qui, peut-être, aurait pu répondre au pasteur, il faut l'avoir étudié [*sic*]. »

Où irions-nous si ceux-là étaient pris au sérieux qui passent trente ou quarante ans de leur vie à tâcher de comprendre un écrivain qu'ils ont entre tous aimé ? Place plutôt à tous les théologiens, détraqués, paranoïaques et maniaques de toutes les interprétations ésotériques, kabbalistes, ou satanistes. C'est ainsi que dans la meilleure des revues qui se vouent à l'étude des lettres françaises, les *Studi francesi*, M. Alphonse Bouvet publiait en 1963, n° 21, pp. 500-504, une interprétation nouvelle du sonnet : *Rimbaud, Satan et « Voyelles »*.

C'est la lettre I qui nous ouvre le domaine de Satan : « outre que le sang craché, c'est celui que l'hémoptysique crache dans sa cuvette, le sang de Molière », le rire des lèvres dans les « ivresses pénitentes » c'est celui des femmes victimes et complices d'un tentateur, d'un Valmont. Dès lors, tout s'éclaire : « Maladie, mal, péché, mouche bourdonnant sur la charogne de l'homme assassiné, ne serait-ce point le royaume de Satan ? » La lettre U nous impose de répondre : oui. L'U, c'est l'idée du cycle divin,

« l'antique symbole transmis par la Gnose à l'Alchimie, le serpent *ouroboros* (qui dévore sa queue) »; U, c'est aussi l'herbe « tondue par les bêtes », elles mêmes « *semées* et moissonnées » dans les cycles infernaux de l'azote; U, c'est également le cycle de la pensée « vouée à l'échec, et qui puise sa force dans sa propre impuissance ». Ce que M. Bouvet appuie d'une référence à Musset :

Plus tard c'est encor là qu'à l'heure où le coq chante,
Demandant au néant des trésors inouïs,
L'alchimiste courbé, d'une main impuissante,
Frappa son front ridé dans le calme des nuits.

Cette fois, il ne s'agit plus de louer l'alchimie, mais de voir en elle une pensée qui, partie du néant, ne peut qu'y retourner après un cycle d'échecs. « Tout n'est qu'illusion, si l'on est du parti du grand Illusionniste », Satan. Or c'est bien lui, pour M. Bouvet, c'est Satan l'Illusionniste qui apparaît au dernier tercet « dans un fracas d'apocalypse ». *Ses Yeux* sont ceux du Diable. « Qui ne voit qu'au Dieu du Jugement, ou au Fils de l'homme se substitue ici un Autre, qui, usurpant les pouvoirs divins, détourne de son sens la Promesse, sème le désordre et subsiste seul au-dessus du Néant, sur lequel il promène avec satisfaction le rayon "violet" de Ses Yeux ? » Oui, qui ne voit ça ? Moi ! Comment puis-je ne pas voir que, dans le tercet final de *Voyelles*, « s'achève, par l'Épiphanie de Satan, et s'illumine par elle, un poème conçu en haine de Dieu. Toute l'œuvre divine y est bafouée ou souillée; moquée ouvertement (A noir, I rouge) ou insidieusement (U vert); anéantie enfin (O l'Oméga). Et l'outrage est d'autant plus efficace que, maître de tous les prestiges et jouant de l'ambiguïté, Satan sait de l'horreur ou de la perversion faire jaillir la splendeur, de la vie susciter le néant, ou, suprême habileté, tenter les âmes candides en comblant la plus exigeante soif de pureté (E blanc) » (p. 502). C'est ainsi que Rimbaud métamorphose la trompette du Jugement sur laquelle s'achève la Première *Légende des siècles* :

Je vis dans la nuée un clairon monstrueux.

Métamorphose qui n'a rien que de naturel, si vous daignez considérer que les cinq voyelles de Rimbaud sont l'équivalent des sept voyelles, de l'*heptade* du Saint Nom, « et servent dans certains textes magiques, à invoquer le Tout-Puissant »; elles sont aussi, et non moins évidemment, celles du nom grec d'Aidôneus (Hadès) roi des enfers. Or les textes magiques « invoquent Aidôneus aussi bien qu'Adonaï. Les 5 voyelles sont donc, à volonté, le "Saint Nom" ou le nom de Satan déguisé sous celui d'Aidôneus ». Le critique se demande s'il s'agit là d'une simple rencontre ? Que non ! Vous sentez bien que c'est *aussi* évidemment le sens des *Voyelles* que jadis l'audition colorée, naguère l'alphabet illustré, hier le corps féminin *in coïtu.*

On pourrait également citer ici les variantes mystico-théologiques apposées par M. C.A. Hackett à l'interprétation de M. Héraut, à laquelle il se rallia (*Le Lyrisme de Rimbaud*, 1938, pp. 125-157).

— A, c'est l'Amour, l'Antre, l'Anse où le poète dormait durant l'existence intra-utérine; c'est aussi l'Ame de sa poésie.

— E, c'est l'Eau, sujet féminin par excellence; c'est donc Elle, la mère du poète, « qu'il aurait voulue vierge, et qui a inspiré tout son lyrisme ».

— I, c'est Il, « l'homme dangereux pour l'enfant Rimbaud », les Peaux-Rouges par conséquent, les Assis, Barbe-Bleue et « le soldat, le capitaine Rimbaud, le père du poète [...] Il peut évoquer l'Ire et Il, le père du poète ».

— U, c'est le vert de la virginité (*greengirl*, en anglais pucelle). Les Assis, ces impuissants qui n'agacent leur membre qu'à des barbes d'épis, n'ont-ils pas les yeux cernés de bagues *vertes?* U, c'est « l'Utopie, la couleur d'une vie vierge ».

— O, c'est l'Or, le « métal inaltérable »; de plus « O violet est la couleur de la vision mystique ». *Ses Yeux?* comment ne pas songer aux yeux de Rimbaud lui-même, « si extraordinairement beaux! écrit Delahaye, — à l'iris bleu clair entouré d'un anneau plus foncé couleur de pervenche ».

De sorte que, dans *Voyelles*, le poète « las de subir de nombreuses métamorphoses sous diverses formes animales (A), effrayé devant une vie organique dont l'eau et le sang sont les manifestations, et dont "Elle" et "Il" sont les représentants (E. I.) se crée, comme refuge imaginaire, un univers mère-vierge (U), où les lois biologiques et humaines ne jouent aucun rôle. L'enfant y retrouve, en partie, la sécurité et l'équilibre perdus. Mais cette Utopie est en dehors de toute raison, et toujours éloignée de l'absolu recherché. Aussi Rimbaud s'identifie avec la nature et s'y absorbe, pour devenir en même temps le principe vital de l'univers [...] il devient le Grand Tout : Pan, qui est à la fois animal, homme et femme.

Il devient l'enfant tout-puissant mais éternellement solitaire. C'est la rançon de l'omnipotence. » Pan ou Satan ? Question évidemment stupide : Pan est tout, Dieu + Satan. Pan est aussi, désormais, le Point Oméga.

Qu'il me soit permis d'exprimer ici un regret. Comment se fait-il qu'après tant d'ouvrages consacrés à l'omégaïsme du Père Teilhard de Chardin, il ne s'en soit pas encore trouvé un pour rapprocher de cet *omégaïsme*-là l'*omégaïsme* de Rimbaud ? L'Oméga, que Rimbaud situe à la fin de tout, et de son sonnet, il m'est désormais évident que c'est une prémonition, une prophétie, l'*Annonciation* du Point Oméga. Je défie qui que ce soit de ne pas apprécier, dans les *rires des lèvres belles*, dans les *ivresses pénitentes*, un pressentiment de cette *amorisation* de l'univers, si délectable aux marxisto-catholiques de ce temps entre tous idiot. En vérité, je vous le dis, une belle gloire de critique attend celui qui publiera quelques pages pour développer jargonneusement le schéma que je viens de proposer. Je ne vends pas l'idée : je la donne !

DOUZIÈME
ET AVANT-DERNIÈRE RÉCRÉATION

(j'en donne treize à la douzaine)

Je me demandais comment j'allais pouvoir vous distraire une avant-dernière fois lorsque je relus l'essai polycopié dont je vous ai déjà parlé p. 41, n, *1*, celui que m'adressa un de mes anciens étudiants qui, lorsqu'il subissait mes cours, voilà sept ans, ne me cachait pas le mépris (sûrement justifié) dans lequel il les tenait (quitte à m'envoyer ses commentaires sur son Dieu) : *A-t-on lu Une saison en enfer?* se demande-t-il, à la manière de M. Faurisson. Je ne prétends pas que tout soit vain; dignes de ceux de l'enfant Rimbaud, ses délires suggèrent que divers textes de « la Bible à la tranche vert chou » apparaissent en filigrane, ici ou là. Pourquoi non? Il faudra voir ça de près. Hélas, M. Dubreuil découvre aussi que le « mystique à l'état sauvage » doit être anabaptisé en « néo-mystique ». A preuve : « *Génie* est un texte religieux, qui décrit la naissance d'un nouveau Dieu.

» Rimbaud qui a toujours eu l'intention de réinventer Dieu, découvre à travers une expérience néo-mystique, une Toute-Puissance qui l'envahit, le possède.

» C'est la seule interprétation possible d'un texte qui jusqu'à présent est resté complètement ignoré [1].

» Ainsi la néo-mystique d'Une Saison en Enfer converge en un point Omega que Rimbaud décrit dans *Génie* » (p. 49).

Enfin, Rimbaud découvre le « très pur amour », l'*amorisation. Amorisation, point omega !*

Quand je le disais à mon amphi, qu'elle nous pendait au bout du nez comme un sifflet de deux sous, cette glose, ou gnose ! Un petit effort de plus, et alors, épurées de tout érotisme, les *Voyelles* nous enseigneront le catholico-marxismo-omégagaïsme.

Après la gnose ou glose teilhardechardinesque de *Voyelles*, j'ai l'avantage d'offrir, en don de joyeux congé, la glose structuraliste. Au moment où je remettais mon manuscrit à l'éditeur, le bon génie qui préside à mon « labeur de ramassage » (à propos, que deviendrions-nous sans les éboueurs, les égoutiers ? La merde nous emplirait les oreilles) m'a permis de lire la thèse de M. Jacques Plessen : *Promenade et poésie, L'expérience de la marche et du mouvement dans l'œuvre de Rimbaud*, Mouton et Cie, La Haye, Paris, 1967. A l'explication « simpliste » que je proposais en 1936 avec Yassu Gauclère, à mon psychologisme un peu « naïf » (p. 308, note *ee*), M. Plessen oppose vingt-cinq pages « structuralistes » : « Bien que le sonnet des Voyelles n'ait rien à voir avec la marche, nous y retrouvons certains éléments qui ont paru essentiels pour l'expérience ambulatoire de Rimbaud : la forte antithèse entre le

1. Première nouvelle. Nous en avons longuement parlé en 1936, Yassu Gauclère et moi, dans notre *Rimbaud*.

mouvement et le repos et entre l'ouverture et l'encerclement; le mouvement naissant; le thème de la brèche et du dégagement rêvé; la rêverie essaimante; la volonté de structuration au moyen du langage. » En 1967, il s'agit donc de décider si *Voyelles* est structuraliste ou teilhardechardinesque. A mes arrière-neveux de continuer mon travail de *vidangeur* (celui de Balzac, de Zola, si j'en crois la grande, la saine critique du siècle dernier).

Voyez, pages suivantes, le schéma structuraliste de *Voyelles* tel qu'on l'imprime dans une thèse qui n'est point naïve, elle, ni simpliste : ingénieuse plutôt, et systématique à l'excès. Ainsi l'oméga rejoint l'alpha de ce livre. *Alpha = oméga ;* donc *Oméga =alpha.* Voilà une de ces permutations *structuralistes* dont j'attends le renouveau de la critique, de la poésie, de la pensée, de la galaxie même. Moi, cependant, je retourne à mon fumier. On vient de m'en livrer vingt mètres cubes, du beau fumier de mouton, bien pourri. Que de roses anciennes j'y respire encore, ou déjà!

Comprenez-vous enfin pourquoi l'œuvre de Rimbaud offre « une image, allégrement agressive, où est résumé le "projet ontologique" que traduit sa dromomanie et n'est qu'une projection de soi hors de soi : les "lances des glaciers fiers" de *Voyelles.* Lance ou rayon, envol fusant ou posture monarchique dessinent la ligne droite où s'exprime un ardent désir de conquête. » C.Q.F.D. *(Ibid.*, p. 316).

SONNET D

PRINCIPES STRUCTURANTS I		II	III	IV
Système du sonnet		Système des voyelles	Système des couleurs	«Objets»
Vers	Rimes			
1 2	a b	INTRO		
3 4	b a	A	Noir	⟷ mouches ⟷ golfes
5 6	b a	E	Blanc (candeurs)	⟷ vapeurs tentes ⟷ lances ... ombelles
7 8	a b	I	Rouge	⟷ sang lèvres
9 10 11	c c d	U	Vert	⟷ (cycles) mers ⟷ pâtis ⟷ alchimie,
12 13 14	e e d	O	(Bleu) Violet	⟷ clairon ⟷ Mondes ‖ Anges Yeux

Explications des signes:

⟷ indique un rapport autre que celui de la simple contiguïté.

⟷ (pointillé) indique un rapport faible ou hypothétique.

⇕ indique une opposition entre deux éléments.

⇕ (gras) indique une opposition entre la catégorie O et les quatre autres prises en bloc.

O symbolise un espace clos.

YELLES

V	VI	VII	VIII
Sons / Mouvements	Odeurs	Valorisations morales	Valeurs spatiales
CTION			
bombinent	puanteurs	cruelles ⇕	⇕ golfes ○
frissons		candeurs fiers	lances, etc. |
rire		colère ⇕ ivresse	⇕ craché |
vibrements		paix ⇕	⇕ cycles pâtis, etc. ○
strideurs ⇕		étranges	
silences			↑ rayon |
↓		↓	

symbolise l'ouverture de l'espace par un mouvement.

indique une série caractérisée par la finitude et l'ordre de succession irréversible de ses éléments.

indique une simple série numérique.

indique l'ouverture du «système» sur l'«étrange» et sur le silence.

indique que le «système» entier est placé sous un regard venant de l'espace autre.

Chapitre XII

« *Voyelles* », *telles quelles*

Quoique les bandes organisées qui s'arrogent depuis quelques lustres le monopole de la critique en sachent beaucoup plus sur tous les créateurs que le notaire, le confesseur et le psychanalyste réunis, ou peut-être parce qu'elles en savent beaucoup trop, elles ne me persuadent guère. Les mauvais lansoniens se bornaient à collectionner des bribes d'information objective, ou à découper en idées abstraites les œuvres auxquelles ils s'attaquaient; certains tenants de la « nouvelle » critique en ceci du moins plagient les vieux chnoques qu'ils n'étudient jamais, eux non plus, une œuvre comme un tout. Mais foin des idées ou des faits! Ah! mais! on veut du nouveau, nous! Les images, voilà notre gibier; fortuites ou obsédantes, nous les débitons, grossissons, rapprochons, interprétons, interrogeons avec tant d'insistance qu'elles répondent exactement ce que nous entendons leur extorquer.

Je puis en témoigner : le balancier du cartel n'obséda pas moins mon enfance que celle de Vigny; des heures durant, à la veillée, il me fascinait. Je n'ai jamais écrit *Stello*, ni *Les Destinées*, que je sache.

Ma mère, qui toute gosse tomba dans la rivière et faillit très bien s'y noyer, ne m'avait jamais confié, la cachottière, que, sous le nom de Paul Valéry, elle siégeait en habit vert à l'Académie française. Je comprends mieux maintenant ses fréquents séjours dans ce qu'elle appelait « la capitale » (en son style noble de poète) : elle travaillait au dictionnaire avec Mgr Grente.

Tous ces hommes très intelligents à qui nous devons la « nouvelle » critique, n'ont pour moi qu'un tort, mais absolu : ils négligent ce que l'auteur a *voulu* faire, et les *moyens* qu'à cette fin il employa. A toutes leurs entreprises je préfère l'exégèse précise, modeste, presque toujours irréfutable, dont Émilie Noulet éclaire Mallarmé [1]. Les grands critiques refusent de lire *La Celestina* telle qu'en son temps la fit Rojas, et que Marcel Bataillon vient de nous la restituer. Ce qu'ils veulent, c'est leur Célestine; d'autant meilleure que plus fausse : romantique avant-hier, existentiellement psychanalysée aujourd'hui, ou essentiellement structuralisée.

Parce que je n'ai jamais contesté la part que le marxisme, le freudisme, et l'analyse formelle peuvent prendre à l'explication de textes, je suis sûr absolument que, pour comprendre ce qu'a voulu faire ou dire un auteur (ce qui m'importe infiniment plus que d'apprendre ce qu'y devineront MM. X, Y, ou Z) — rien ne vaut l'explication philologique, telle que voilà quarante ans plusieurs professeurs de talent me l'enseignèrent, telle que la pratiquent encore certains de mes collègues rétrogrades, ou plantigrades.

1. *Vingt poèmes de Mallarmé*, Droz, 1967.

Eh bien, expliquons *Voyelles* à ma façon : tout bêtement.

A moins de découvertes improbables, nul ne saura jamais quelles sont au juste toutes les « sources » de ces quatorze vers; nul jamais ne connaîtra le prétexte, s'il en fut, qui décida l'enfant Rimbaud à boucler ce sonnet [1]. Deux images toutefois sont évidemment empruntées : celle sur quoi s'ouvre, celle sur quoi se ferme le sonnet : le premier quatrain pue à plein nez *Une charogne* de Baudelaire, « vrai Dieu » de l'enfant Rimbaud; et le dernier vers lui fut évidemment suggéré par un souvenir (ou représente un plagiat) de son autre maître : Leconte de Lisle :

> *Dites son rire frais, plus doux que l'aubergine,*
> *Le rayon d'or qui nage en ses yeux violets.*
>
> *(Péristéris.)*

Pour nier qu'un enfant gavé de poèmes parnassiens, et soucieux de paraître au recueil de l'École en vogue, avait en tête ces deux vers quand il écrivit le sien :

> — *O l'Oméga, rayon violet de Ses Yeux !*

il faudrait un génie dont je suis dépourvu.

Arriviste comme l'était Rimbaud, je ne suis pas

1. Pour MM. Pierre Petitfils et Henri Matarasso, *Album Rimbaud*, p. 114, *Voyelles* devrait quelque chose à Cabaner, ce « musicien bohème » qui, « pour enseigner la musique, donnait une couleur à chaque note de la gamme »; de sorte que « Rimbaud, qui fut son élève, chromatisa de même les voyelles, non par pure fantaisie, mais parce qu'il les voyait réellement à travers un arc-en-ciel ». Ce qu'en tout cas contredit Verlaine, pour qui Rimbaud se « foutait » de la couleur des voyelles. Allez vous y retrouver...

surpris de constater qu'il choisit un sujet qui traîne partout, et non pas seulement dans les *Correspondances* de Baudelaire (lequel était trop intelligent, trop mûr, pour donner dans les billevesées de l'audition colorée). Depuis le traité de Court de Gébelin sur le langage, chacun propose des équivalences entre lettres-voyelles, couleurs, et timbres des instruments de musique : Brès, chez nous, dès 1821, Hugo vingt ans plus tard; en janvier 1859, Georg Brandès compose un poème intitulé *Vokalfarverne, Les Couleurs des voyelles.* Pour tout esprit non prévenu par la fable de Rimbaud, laquelle exige que cet enfant innove en tous genres, vaticine et prohétise, il est clair que Rimbaud prit en France le vent, ainsi qu'au Danemark son aîné.

Comme cet enfant a souffert de la tyrannie maternelle, qu'il en a formé, d'une part une révolte arrogante contre tout, de l'autre une ambition impatiente, il y va de son *Bateau ivre*, le dixième sans doute des rafiots parnassiens lancés vers ce temps-là (le meilleur, j'y consens, encore qu'il soit marqué par Léon Dierx); il y va, comme tout le monde alors, de ses *Correspondances.* Parce qu'il ne sait rien de la phonétique, il jette sur le papier un premier vers arrogant et naïf :

A noir, E blanc, I rouge, U vert, O bleu : voyelles.

Il en reste donc à l'alphabet de son enfance, à la lettre-voyelle, et ne tient aucun compte de la convention aberrante qui veut qu'en français l'article contracté *au*, formé d'un A, et d'un U, se prononce *o*, et que les lettres E, A, U, rendent chez nous le même son : *eau*, *beau*, *seau*, *veau*. De qui Rimbaud se moque-t-il ? De soi, ou de nous, qui savons que notre langue dispose de plus de vingt sons-voyelles. A cause de son A et de son E, la ville de *Caen* n'aurait pas la même couleur qu'avec son A et son O celle de *Laon*, alors que ces graphies notent en fait le même son nasalisé ? Qu'on le prétende *blanc*, *noir*, *vert*, *bleu*, *jaune* ou *violet*, l'*a* du français est beaucoup trop varié (b*a*tte, b*a*s, b*â*t, b*a*nc) pour qu'on puisse lui attribuer une seule et même valeur colorée. Le premier vers est donc idiot. Comme si Rimbaud le pressentait, le second vers renvoie aux calendes grecques l'éclaircissement annoncé :

Je dirai quelque jour vos naissances latentes [1]

Un peu chevillé, non ? ce *latentes?* Une *naissance*, la diriez-vous *latente*, vous ? moi, non. *Patente*, plutôt que *latente !* Il faut donc que soit impropre, ou le nom *naissances*, ou l'adjectif *latentes*. Mais il n'était pas assez bête, l'enfant Rimbaud, pour qualifier de *patente* une opération qui ne lui était pas moins obscure que celle du Saint-Esprit. « Je dirai quelque jour... » Il n'a rien dit, et pour cause ; simplement, deux ans plus tard, il s'est mis au pilori dans *Une Saison*, nous interdisant par là toute glose qui prend au tragique, au magique, au métaphysique

1. Admirons ce chroniqueur qui, dans *Le Journal de Genève* du 17 juillet 1944, estime que Rimbaud s'est trompé, et que, pour la plupart des hommes, *U* serait *bleu*, plutôt que *vert*, « avant tout pour une raison d'analogie superficielle, c'est-à-dire parce que le mot bleu contient le son *U* » (le mot *bleu* contient en effet la lettre-voyelle *U ;* mais j'y cherche en vain le son-voyelle de b*u*t, c*u*l, d*u*, f*u*t, j*u*s, l*u*, m*û*, n*u*, p*u*s, r*u*pt, s*u*, t*u*, v*u* ; z*u*t à la fin !

les rapports entre couleurs et lettres-voyelles. Ceux qui torturent l'alphabet et les couleurs du prisme pour comprendre ce sonnet oublient que Rimbaud, ce mauvais joueur, refuse de suivre la couleur qu'il annonce. Suzanne Bernard essaie de s'en tirer en soutenant que *quelque jour* « n'est probablement qu'une cheville ». Point du tout. Rimbaud sait trop bien ce qu'il dit, et que, dans les douze derniers vers, il ne traite pas d'*audition colorée*. Provocants, provocateurs, ses deux premiers vers restent en suspens. Au mieux : il s'agit de publicité tapageuse pour un art poétique mort-né, ou avorté; inviable en tout cas.

Savoir si ces deux premiers vers surgirent pour l'enfant Rimbaud du souvenir d'un abécédaire où chaque lettre se détachait sur un fond colorié, associée à l'image d'un objet ? Les « petits livres de l'enfance » ayant contribué à son *Alchimie du verbe* (disons plus simplement à sa *cuisine langagière*), je ne vois pas pourquoi nous refuserions d'admettre que l'évocation d'un alphabet de ce genre a pu déclencher le premier vers. Je ne dis pas : *a déclenché* le premier vers. En repoussant comme attentatoire à la divinité de sa vache à lait de beau-frère l'idée qu'un alphabet colorié ait *pu* contribuer au premier vers de *Voyelles*, Berrichon était donc digne de soi. Nul n'a pourtant le droit de prétendre que le A, représente ou l'*A*beille, ou le dessin d'une mouche en vol, ou, renversé, le pubis de la femme (chez les blondes, les rousses, les albinos, est-il donc noir ?). Nul non plus n'est fondé à éclairer par l'alchimie ou la pataphysique la séquence des couleurs et leurs correspondants vocaliques.

Nous l'avons vu : chacun de ceux qui prétendent associer aux voyelles (ou aux consonnes) des couleurs, leur attribuent toutes les couleurs. Tous les tableaux d'audition colorée prouvent la vanité de cette prétendue « correspondance ». D'ailleurs, écoutons Verlaine : « Moi qui ai connu Rimbaud, je sais qu'il se foutait pas mal si A était rouge ou vert. Il le voyait comme ça, mais c'est tout. » Pour avoir répété la même chose depuis trente ans, je me fais traiter de tout par tout le monde. Bon. Je me répéterai donc, en aggravant mon cas : je ne suis même plus certain que Rimbaud les « voyait comme ça », les voyelles. Pour l'édification de mon éminent collègue M. Faurisson, qui prétend que je n'ai jamais rien écrit là-dessus, je rappellerai donc ce qu'à vingt-cinq ans j'en pensais : « [...] pour le *voyant*, tous les points de départ se valent; ils ne sont que la porte par laquelle on s'évade vers les images inventées. Les couleurs sont rangées par Rimbaud dans un ordre qui n'est pas indifférent : noir et blanc d'abord : l'opposition la plus frappante. Puis les couleurs du spectre, qui vont du rouge au violet. (Souvenirs scolaires qui étaient à peine des souvenirs pour Rimbaud, à l'époque où il écrivait, — souvenirs qui se combinèrent, selon les fantaisies de la vision, avec les couleurs de l'alphabet d'enfant.)

» Rouge, vert, violet, dans l'ordre, représentent les deux extrémités du spectre et la région médiane. Ces trois couleurs sont considérées comme fondamentales dans certaines théories de la vision, celle de Helmholtz par exemple. Il n'est donc pas nécessaire de recourir à des notions mystiques, — comme a fait M. Rolland de Renéville — pour comprendre que

Rimbaud ait ainsi ordonné ces couleurs. D'autre part, Rimbaud range les voyelles, à une exception près, dans l'ordre adopté ordinairement : A, E, I, U, O; encore faut-il remarquer que l'O français, par sa parenté avec l'ω grec, est facilement transposé, et que l'ω, dernière lettre de l'alphabet [1], correspond à la *dernière* couleur du spectre, le violet.

— O l'Oméga, rayon violet de Ses Yeux !

» Ainsi les couleurs sont classées dans un ordre qu'on peut dire naturel, les voyelles dans l'ordre normal de l'alphabet. On ne peut donc prétendre assigner à chaque voyelle une affinité mystérieuse ou mystique avec la couleur qui lui correspond. Ces correspondances, dues au hasard, sont un jeu. Elles n'ont aucune importance. Bien plus importantes sont les sensations sonores, visuelles, olfactives, qui sont associées aux couleurs. Bien plus importants les points d'arrivée que les points de départ. » Arrêtons-nous un instant. Quoique j'éprouve maintenant le besoin de nuancer, et parfois de corriger ce que je pensais alors, force m'est d'avouer qu'après tant d'années je trouve ce commentaire un peu moins ridicule que tous ceux, géniaux certes, sublimes même, et apocalyptiques, qu'on proposa depuis lors du sonnet.

Je me rappelle fort à propos M. Froger, l'instituteur qui nous faisait réciter les couleurs du spectre sous forme d'un alexandrin martelé : *violet indigo bleu vert jaune orangé rouge*, dont les temps accentués

1. Grec, s'entend (note de 1967).

(qui me restent imprimés en la mémoire) tombaient sur viol*et*, *bleu*, *vert*, *rouge*. Si j'appliquais la méthode paranoïaque si fort prisée de nos jours j'en pourrais déduire que Rimbaud s'était formé de la même façon, et par suite avait retenu les couleurs soulignées. Dieu-Rimbaud m'en garde! C'est en particulier que j'ai lu depuis dix ans deux études de Mme Ludmila Morawska, et une de M. Chadwick sur les adjectifs de couleur chez Rimbaud. Alors que M. Robert Goffin et M. Cecil Hackett affirmaient encore que le *vert* domine chez Rimbaud, Mme Morawska observe que « les oppositions préférées de Rimbaud », celles à quoi « il revient presque toujours, c'est le blanc et le noir, le rouge et le noir, le bleu et le jaune ». Moi, je me rappelle ici un fragment de *Mémoire* :

> [...] *ni l'une*
> *ni l'autre fleur : ni la jaune, qui m'importune,*
> *là ; ni la bleue, amie à l'eau couleur de cendre.*

Même après *Voyelles*, par conséquent, Rimbaud reste fidèle à une antipathie relative pour le jaune, à cette sympathie pour le bleu, dont fait état M. Chadwick. Celui-ci compta toutes les notations colorées entre *Les Étrennes des orphelins* et *Voyelles ;* il obtient : *noir*, 57 fois nommé; *blanc*, 40 fois; *bleu*, 40 fois; *rouge*, 30 fois; *vert*, 30 fois. Le *rose* n'est cité que 13 fois, le *brun* et le *jaune* 11 fois [1]. Veut-il associer cinq couleurs à cinq voyelles, Rimbaud choisit

1. Cf. aussi Ludmila Morawska, *L'Adjectif qualificatif dans la langue des symbolistes français*, Poznan, 1964 : « Les cinq couleurs : le bleu, le vert, le blanc, le noir et le rouge, qui se retrouvent dans le sonnet des *Voyelles* forment avec l'or les couleurs clés rimbaldiennes. »

donc invinciblement les cinq couleurs pour lui dominantes, selon lesquelles il voit le monde. Peu lui importe que, pour le physicien, le *noir* ce soit plutôt l'absence de couleur; le *blanc*, la somme de toutes les couleurs; ou que, pour le peintre, le *vert* s'obtienne à partir du *jaune* et du *bleu*, de sorte qu'une couleur fondamentale, le *jaune*, est sacrifiée à ce *vert* qui ne l'est pas, fondamental.

Pour justifier les couleurs que Rimbaud associe aux lettres-voyelles, inutile par conséquent d'invoquer l'alchimie, l'érotomanie, la mystique ou la mescaline. Tout le monde était au parfum de l'audition colorée; et comme tout le monde, Rimbaud associe à des voyelles les couleurs qui dominent sa propre sensibilité visuelle. Voilà tout.

Beaucoup plus intéressants que les deux premiers vers les douze autres, comme je le disais dès 1936.

« Pourquoi des "mouches", des "tentes", des "lèvres", des "clairons" ? Parce que le poète les a vus. Pourquoi les a-t-il vus ? Parce qu'il est poète. Le malheur est que les critiques littéraires, vexés de leur propre stérilité, tiennent à supprimer cette *vision* qui n'obéit ni aux lois de "l'histoire littéraire" ni à celle de la "critique des sources". Ce symbolisme original, qu'il est impossible de reconstruire, de mettre en équation, il faut l'accepter, le subir. Le blanc, c'est le silence, presque l'immobilité, à peine traversée de "frissons", de mouvements légers comme ceux des "vapeurs", des "tentes" et des "ombelles". L'évocation des glaces, du froid, de la dureté ("lances de glaçons fiers"), et cette indifférence du blanc, couleur si peu humaine et pas du tout chantante, quel merveilleux décor pour le silence! Par opposition, le noir symbolise le bourdonnement des mouches, le bruit désagréable des insectes autour d'une charogne. Ces impressions, essentielles faut-il croire à la sensibilité de Rimbaud (encore que la *Charogne* de Baudelaire n'y soit peut-être pas complètement étrangère), se retrouvent en d'autres textes. Aux "mouches bourdonnantes

Qui bombinent autour des puanteurs cruelles "

répond "l'herbe d'été bourdonnante et puante" ainsi que "le bourdon farouche de cent sales mouches". Les "golfes d'ombre" évoquent les "golfes bruns" du *Bateau ivre.*

» Avec le rouge éclate la vie; le rouge vibre et crie comme le blanc reste silencieux et immobile. La vie jaillit en jets de "sang craché"; elle fuse entre les lèvres qui rient, dans la colère et l'emportement des ivresses. *Being Beautous* reprend la même image : "Des blessures écarlates [...] éclatent dans les chairs superbes"; image que Rimbaud renouvelle souvent : "un envol de pigeons écarlates tonne autour de ma pensée", "que notre sang rie en nos veines", "le sang chante",

Brunie et sanglante ainsi qu'un vin vieux,
Sa lèvre éclate en rires sous les branches.

Aucune couleur n'est plus bruyante, plus "criarde" que le rouge; il nous est arrivé d'acheter des œillets vermillon pour briser le silence d'une pièce. »

Ainsi de suite pour chaque lettre; nous concluions, Yassu Gauclère et moi, que les voyelles ne sont qu'un prétexte, et qu'avec ce sonnet Rimbaud atteint la vision parfaite. Nous étions jeunes, et n'avions pas échappé autant que nous l'espérions à la séduction de la fable. Du moins ne disions-nous rien qui me fasse aujourd'hui rougir. Je conviens que nous n'avions pas encore assez réfléchi au sonnet. Vers le temps où nous publiâmes ce volume, notre premier livre, je décidai d'étudier *le mythe de Rimbaud*. Trois ans plus tard, en 1939, je livrai à la *Revue de Littérature comparée* ma première étude sur *Voyelles*, où je rabattais déjà de mon enthousiasme premier : « La manie des sources, le prestige de l'explication brillante, l'appétit de mystère, de scandale et d'irrationnel, toutes ces belles qualités, [...] ont assuré la célébrité d'un texte non sans mérite, mais sans originalité, qu'un premier vers qui serait *stupide* en effet, si l'auteur l'avait pris au sérieux, et qui n'est que puérilement arrogant, ne devait ni glorifier, ni vouer à l'exécration. » J'avais trente ans; j'en aurai bientôt soixante, dont quarante durant lesquels je n'ai jamais cessé de travailler sur Rimbaud et son mythe. Je puis contresigner ce que j'écrivais en 1939, et que j'expliquerai maintenant, avec un peu plus de détail : M. Faurisson sera heureux, lui qui regrettait si généreusement que je n'aie pas barbouillé cent pages comme lui sur le sonnet. Et si c'était parce que je pense maintenant que la poésie française ne perdrait rien (même, qu'elle aurait beaucoup gagné) si ces vers de l'enfant Rimbaud avaient, comme tant d'autres de lui, disparu. En tout cas la santé intellectuelle et morale (morale surtout) de mes contemporains, y eût beaucoup gagné.

Lors de notre premier *Rimbaud*, en 1936, nous n'avions pas encore compris le plan général du poème. Plan, c'est trop dire, pour cette apparence d'ordre qu'une lecture attentive peut déceler dans ce poème. Si nous avions raison de rapprocher le dernier tercet des autres passages où Rimbaud associe le violet à des visions qu'il appelle « mystiques » (dans *Le Bateau ivre* par exemple :

> *J'ai vu le soleil bas, taché d'horreurs mystiques*
> *Illuminant de longs figements violets,*
> . . . .
> *Les flots roulant au loin leurs frissons de volets !*

ou bien, dans *Phrases*, ce texte à propos de la *sorcière* qui va se dresser sur le couchant, cependant que descendront des frondaisons *violettes*), nous n'avions pas senti que le *suprême Clairon*, la Trompette du Jugement dernier, répond à la vision initiale d'une charogne. Entre l'image brutale de la mort, et celle du Jugement, Rimbaud évoque tout ce qui fait le prix de la vie, selon les conventions humaines, nommant pêle-mêle des choses blanches, rouges, vertes ou bleues, puisqu'il a commis la sottise, le malheureux, d'inventer (de faire comme s'il *inventait*) la couleur des voyelles! Les quelques images que nous étions fondés à rapprocher, illustrent, *non pas les voyelles*, dont Rimbaud ne se soucie plus après le premier vers, *mais les couleurs qu'il avait gratuitement associées à ces lettres.*

Sauf peut-être ce « frisson d'ombelles » des carottes sauvages que l'enfant chemineau caressa du regard ou de la main au cours de ses vagabondages, aucune des images de *Voyelles* n'est « du VU [1] ». Quant aux autres choses qu'il nomme pour illustrer le blanc,

1. Comme il dit de Victor Hugo, lettre du 15 mai 1871 à Paul Demény.

elles sont livresques : ces tentes, ces rois blancs, qu'il a découverts dans les magasins pittoresques où l'on contait inlassablement la conquête de l'Algérie; ces « glaciers » noirs, gris ou bleus, qu'il croit *blancs* parce qu'il n'en a jamais vu, sinon en image, blanc sur noir. Aucune des séquences d'images n'essaie de produire un effet de couleur par l'accumulation des voyelles correspondantes. Si trois vers attirent à ce sujet notre attention, c'est qu'ils contredisent le prétendu système : le tercet consacré à l'U, qui ne comporte guère que des *i*. Un seul son *u*, celui de « st*u*dieux », et qui n'est même pas accentué. Pour évoquer des choses vertes, Rimbaud élimine par conséquent tous les sons *u*, et s'applique à entasser des sons *i*, simples ou nasalisés. Avec une allitération : « *p*aix des *p*âtis », c'est le truc qu'il trouve pour nous imposer la verdure, ou le vert. Sans trop insister sur deux mots choisis pour leurs *i* : *vibrements*, *divins*, force est de les reconnaître impropres, surtout le premier. Si plat de surcroît, si peu pensé, le second! A propos : pour avoir écrit que le tercet de l'U énumère des choses que le poète *voit* vertes, je me suis fait vertement rabrouer : « a-t-on jamais vu de rides vertes! » Si mes censeurs avaient *lu* Rimbaud, ils sauraient comme moi que celui-ci les voit *verts* ses *Assis*, ceux qui trônent dérisoirement à la bibliothèque :

> *Noirs de loupes, grêlés, les yeux cerclés de bagues*
> *Vertes...*

ou encore :

> *Et les Assis, genoux aux dents, verts pianistes,*
> *Les dix doigts sous leur siège aux rumeurs de tambour,*

ce qui n'a rien d'« original ». Les « intellectuels », les « assis » on les imagine, les représente volontiers *livides, verdâtres, cadavéreux*. Mes censeurs n'ont jamais vu, non ? ces visages *verts* de tant de Christs chez nos peintres et les meilleurs ? et, après les décollations du Baptiste, ces têtes vert-de-gris ? Pour Rimbaud, les *assis*, les savants, ne sont que cadavres vivants. Le tercet qu'il consacre à l'U, énumère donc bien, selon sa vision, des choses qui sont (ou des personnes qu'il voit) vertes. Tout cela, aussi évident que sont rouges la « pourpre », les « lèvres belles », noires les « mouches » à merde lors même que des reflets bleutés, irisés, mordorés justifient l'adjectif *éclatantes*. Depuis quand un « golfe d'ombre » ne peut-il évoquer du noir ?

De la même façon, le bleu impose un ciel où circulent des astres, selon la science ; selon la théologie, des anges. Pourquoi Rimbaud n'aurait-il pas pillé chez Eliphas Lévi « les Mondes et les Anges » ? Ça ne me gênerait pas : il n'en est pas à un plagiat près, celui qui, dans son sonnet, se réfère aux maîtres qu'il s'est donnés : Baudelaire, Leconte de Lisle. Le ciel bleu, l'œil bleu : rien de plus banal.

L'excellent élève, latiniste comme on ne l'est plus, contamine hélas le poète en révolte et en ribote [1] ;

1. Un écrivain polonais, spécialiste de Rimbaud, qu'il traduisit en sa langue, M. Adam Ważyk, publiait dans *Twórczość*, 1964, nº 11, une étude où il soutenait que les images de *Voyelles* sont déduites, toutes, de mots latins commençant par les lettres A, E, I, O, U. A de *anatomia*, E de *expeditio* (expédition au pôle, s'entend), I de *Imperatoris* (pourquoi *imperatoris*, et non *imperator?*), U, de *Urania* et de *Venus*, O de *Opera mundi ;* d'où, respectivement, faut-il croire, les golfes d'ombre et les mouches, les ombelles qui frissonnent au vent de la nuit polaire, la pourpre impériale et le sang craché

le latinisme fourmille : *bombinent* (sur *bombilare-bombinare*), *candeurs*, *virides ;* comme il est faillible, Rimbaud, nous ne sommes pas très sûrs du sens qu'il faut donner à *cruelles* : latinisme, pour *sanguinolentes?* (mais alors, comment expliquer *puanteurs?*); ou *cruelles* à voir, pénibles à sentir ? On peut également se demander si le *suprême Clairon* n'est pas chargé, par un latinisme latent, d'un sens double : le clairon de la fin et celui qui retentit dans les hauteurs, *in excelsis*, ainsi que plus tard chez cet autre amateur de latinismes, Paul Valéry :

Et mes suprêmes fleurs n'attendent que la foudre

(où se retrouve la même ambiguïté).

Non, Rimbaud n'en est pas à une imperfection près : outre que, pour illustrer le blanc, les *lances des glaciers fiers* ne valent pas mieux que le *frais parfum des touffes d'asphodèle* ou celui que Verlaine quelque part prête aux dahlias, « plein des strideurs étranges » n'est que futilement recherché; comme je comprends Verlaine, qui, dans la mouture qu'il nous laissa du sonnet, corrige en : « plein de strideurs étranges ». Je devine ce qu'on peut inventer en faveur de ce « des » : ce seraient les strideurs bien

(par les victimes de Néron ?), la paix des pâtis, et le rayon violet pillé chez Leconte de Lisle. Jusqu'où peut égarer l'abus d'une idée juste : *Rimbaud fut un bon latiniste.*

Le 10 janvier 1965, dans *Życie literackie*, M. Henryk Markiewicz propose quelques observations d'un profane sur cette interprétation de *Voyelles (Uwagi profana o interpretacji Samogłsek') :* on dirait aussi bien que *ater* appelle noir, *abdomen*, le ventre des mouches; qu'*expeditio* serait moins satisfaisant que le mot français *Esquimaux*; qu'au lieu d'*imperatoris* on pourrait suggérer *ironia*, etc. jusqu'à *oculus* pour *Ses Yeux !*

déterminées, vous savez, celles que tout chrétien connaît, parce qu'on les lui enseigna au catéchisme. Pour moi, Verlaine avait raison, qui effaçait une des marques trop *voyantes* de la jeunesse en effet du poète ici peu voyant.

Encore que j'aie entendu diverses personnes soutenir que les ivresses « pénitentes » doivent leur qualificatif à l'exigence de la rime *(tentes-pénitentes)* j'incline à penser que c'est un des rares mots qui dans ce sonnet expriment peut-être un sentiment ou une idée personnelle : comme les « rois blancs » ou les « tentes » nous rappellent que le capitaine Rimbaud avait servi dans les bureaux arabes et que par conséquent on parlait à la maison des émirs, d'Abd el-Kader avec sa gandourah blanche; comme les « ombelles », chères au vagabond, les ivresses « pénitentes » pourraient (notez le conditionnel, s'il vous plaît) pourraient dis-je, nous rappeler discrètement que l'enfant Rimbaud eut avec sa chair de graves difficultés. Voyez les *Déserts de l'amour*, et combien d'autres poèmes.

Le seul passage où il utilise les voyelles en tant que telles, c'est le dernier tercet, où l'O (équivalent pour lui de l'omicron du grec) vire à l'*oméga* (dernière lettre de l'alphabet grec) et, ainsi associé à l'*alpha*, devient le symbole du commencement et de la fin de toutes choses, avant d'introduire, par le bleu des *Y*eux — et à sa place dans la série française des voyelles, la dernière — cet *y* grec, prononcé exactement comme l'autre *i*. Cela prouve que Rimbaud ne pense *jamais* aux sons-voyelles et ne connaît que les lettres-voyelles. Dans le reste du sonnet, les voyelles ne sont là que parce qu'il s'est risqué à les citer au premier vers; elles n'ont *aucun lien, aucune affinité* avec les images qui censément les éclairent. Reste à expliquer le vers le plus obscur, le dernier :

— O l'Oméga, rayon violet de Ses Yeux !

Depuis tantôt un siècle, on épilogue sur ces yeux-là et sur leurs majuscules. Dès 1936, nous disions, Yassu Gauclère et moi, que, dans les premiers poèmes, « l'Homme, la Femme, l'Amour, le Monde, la Foi, la Nature, le Soleil, l'Océan, l'Univers, la Source, tous les clichés, toutes les majuscules s'agitent selon les lois de toutes les rhétoriques. Puisqu'il veut être imprimé, cet enfant de quinze ans, il s'efforce d'écrire de mauvais vers, solennels, bien frappés, bien pensés, bien pensants ». Pas un mot à changer. Les majuscules de *Ses Yeux*, on ne peut plus conformes aux tics du premier Rimbaud, peuvent aussi bien évoquer les Yeux d'une Femme (ces femmes qu'il n'aimait point, mais il rusait encore, ne serait-ce que pour qu'on l'imprime) que ceux de Dieu (à cause du sens général du tercet et du *violet*, couleur « mystique », celle de la messe d'*Oculi*).

En cette difficulté, les traductions vont nous aider. Avant de l'avoir traduit dans une autre langue, on n'a jamais *lu* un texte. C'est dire combien peu de pages nous avons lues. En me faisant aider pour les langues que je sais particulièrement mal (tchèque), ou que j'ignore (japonais, hongrois, hébreu), j'ai étudié diverses traductions de Rimbaud en anglais, allemand, italien, espagnol, hébreu, russe, polonais, serbo-croate, tchèque, hongrois, grec moderne, japonais, etc.

Comme la plupart des langues exigent que l'on choisisse entre un masculin et un féminin, pour rendre notre SES, les traducteurs hésitent sur *Ses Yeux.*

Voici trois versions anglaises :

O Omega, violet rays of her eyes (*fém.*, Joseph T. Shipley)
O, Omega, violet light of her eyes (*fém.*, Lionel Abel)
O, Omega, violet ray of His eyes (*masc.*, Miss Catherine Vreeland, traduction inédite, faite à mon cours sur ce poème)

et trois versions allemandes :

Omega-ihrer augen veilchenblauer strahl (*fém.*, Stefan [George)
Omega-Seiner Augen fliederfarbne Fernen (*masc.*, Duschan [Dendarsky)
O, Omega, Strahl Seiner Augen ewig Walten (*masc.*, Rolf [Kloepfer)

où l'on peut balancer entre les yeux d'une fille et ceux d'un garçon. Un autre traducteur, un Allemand, eut le courage de prendre parti, tout en détruisant l'incertitude de « Ses » :

O, Omega, violetter Donnerstoss aus Gott

où Dieu *(Gott)* est expressément nommé.

Les traducteurs tchèques, eux aussi, sont contraints de choisir entre le génitif masculin *jejího* (Nezval) :

— *O, modrý paprsek jejího pohledu.*

et féminin *jejích* (ce sera le pari de Kadlec) :

Omega, siný svit dvou jejích zřítelnic !

Tout le monde n'a pas la chance de l'italien qui, d'un *Suoi occhi* (ou *Suoi Occhi*) comme M. Gianni Nicoletti :

O l'Omega, raggio violetto dei Suoi Occhi)

peut restituer l'incertitude du français; même chance pour le traducteur hongrois puisque *az ö* signifie à la fois « son, sa, ses, leurs ». Ainsi :

Oméga ! viola sugár az Ö szeméből ! (Árpád Tóth)
Omega : ibolya-sugár — az Ö szeme ! (László Kardos)

qui sont les deux meilleures parmi les cinq versions de *Voyelles* en cette langue. Pourtant Árpád Tóth a choisi de se compromettre et nous pouvons interpréter au masculin son *az Ö*, puisque le premier vers du dernier tercet :

O ! szörnyü harsonák, mik itéletre zengnek

si vous le retraduisez en français donnera :

O, terribles clairons qui sonnent le jugement

(ce qui semble indiquer qu'un des plus grands poètes hongrois comprend ce tercet, et donc ce sonnet de Rimbaud, comme l'universitaire homaisique bien connu : votre serviteur. C'est du moins l'avis de M. André Karátson [1] : « Le mot "juge-

1. M. André Karátson, qui soutiendra bientôt ses thèses sur l'influence du symbolisme français dans la poésie hongroise, étudia « Rimbaud en Hongrie »; il publiera bientôt ce travail dans la *Revue des études finno-ougriennes;* je lui dois ce que je sais des cinq traductions du sonnet en hongrois.

C'est à Mlle Jeanne Bem que je dois une excellente explication des versions tchèques de *Voyelles*.

ment", absent de l'original, n'appuie-t-il pas l'opinion de M. Etiemble pour qui le dernier tercet évoque l'espace chrétien, à l'heure du Jugement dernier ? »)

En russe, Mme Beketova choisit de ne pas évoquer l'*oméga ;* et, par le génétif féminin *eë*, d'imposer les yeux d'une jeune fille :

O divnykh glaz eë lilovye lutchi

Observez alors que si vous éliminez l'*oméga* et que vous optiez en outre pour l'image d'une jeune fille, vous détruisez le seul ordre visible, le seul plan plausible : le sonnet se dissout en bouillie d'images.

Cela étant, comment ne pas hésiter *en français* devant « Ses Yeux » ? Pour Jean-Marie Carré, docile au mensonge pieux (mensonge quand même) d'Ernest Delahaye, exégète acquis à la fable familiale et bourgeoise, « Ses Yeux » seraient ceux d'une amie de Rimbaud; d'une amie au sens fort, et (si j'ose dire) au sens qui peut devenir *prégnant :* « Est-ce elle qui avait les yeux violets chantés par le sonnet des *Voyelles?* » Citant une lettre qui lui fut adressée par un M. J. Lefranc, Marcel Coulon assignait plutôt à ces mots une origine littéraire : « *Ses Yeux* sont une réminiscence à la fois de Baudelaire et de Quincey. Baudelaire, vous le savez, a traduit ce qui reste des *Suspiria de Profundis* où apparaissent trois Sœurs, trois abstractions : Notre-Dame des Larmes, Notre-Dame des Soupirs, Notre-Dame des Ténèbres. De cette dernière, le traducteur dit : *Son front couronné de tours, comme celui de Cybèle, s'élève presque hors de portée de mon regard... Malgré le triple voile de crêpe dont elle enveloppe sa tête si haut qu'elle la porte, on peut voir, d'en bas, la lumière sauvage qui s'échappe de Ses Yeux.* » Je veux bien que Rimbaud ait contaminé de ce *Ses Yeux*, le *ses yeux*, ces *yeux violets* de *Péristéris*. Mais qui saura vraiment ?

Scandale! aberration! objecte Rolland de Renéville : « Ses Yeux » sont évidemment ceux du Christ. Non, ceux de Satan, affirme M. Bouvet. « Ses Yeux », je verrais aussi bien ceux de l'enfant Rimbaud, qu'il avait bleus avec des franges violettes, rétorque M. Hackett. Etc.

Il est temps, grand temps qu'on en finisse avec *Voyelles*, poème incohérent, vaguement construit, bourré d'allusions littéraires, de latinismes, d'images livresques, et qui, si je dois à toute force lui trouver un sens, c'est tout bêtement celui-ci : après avoir sacrifié en deux vers idiots à la mode des voyelles colorées, Rimbaud s'oublie heureusement et se borne à grouper, entre l'image de la mort physique et celle du jugement dernier, des objets noirs, blancs, rouges, verts ou bleus, tous on ne peut plus banals, sans aucun rapport avec les voyelles qu'ils « illustrent », mais qui faisaient partie de son univers personnel : la nature, la vie, l'amour, la science, de ce que tout homme oppose pour vivre aux obsessions macabres. Images qui lui sont bonnes ou belles. Oui, mais le *sang craché?* Il fout tout par terre ? Il n'est pas beau ? Allons, c'est *beau* le sang frais, vous le savez bien. Outre que l'enfant Rimbaud était plus qu'un peu sadique :

> [...] *il lui mordait les fesses,*
> *Car elle ne portait jamais de pantalons ;*

ou encore

> *On veut vous déhâler, Mains d'ange,*
> *En vous faisant saigner les doigts !*

Bref, au lieu d'une *Symphonie en blanc majeur*, Rimbaud nous propose une petite polychromie en noir, blanc, rouge, vert et bleu, tout ce qu'il y a de mineure : deux vers qui ne font que médiocrement « prolonger et exagérer » les *Correspondances*, comme dit fort bien M. Chadwick, en cela malheureusement qu'elles ont de moins défendable, sont gauchement juxtaposés à douze vers conformes à l'esthétique alors la plus convenue. Voilà donc le miracle sans précédent, voilà donc ce chef-d'œuvre magico-alchimisto - kabbalisto - spiritualisto - psychopatho-logico - érotico - omégaïco - structuraliste. Voilà *Voyelles*.

DERNIÈRE RÉCRÉATION

(un peu osée)

A la suite de mon article du 3 février 1962, dans *Le Monde*, je reçus ce *Plastic pour un professeur parfait* (enveloppe timbrée : 17-2-62).

> « Ces poètes seront ! Quand sera brisé l'infini servage de la femme [...] elle trouvera des choses étranges, insondables, repoussantes, délicieuses ; nous les prendrons ; nous les comprendrons.
>
> A. Rimbaud

POLISSONNERIES

A noir, E blanc, I rouge, U vert, O bleu : voyelles
Je dirai dès ce jour vos ambitions malignes :
A noir corset velu du pubis qui forligne,
Bombinant sous l'abri des volants de dentelles,

Golfe d'ombre ; E candeur, satin de la poitrine,
Où deux Monts blancs ont pour refuge les aisselles ;
I pourpre, sang perdu des lèvres mensuelles,
Dans la langueur des fatalités féminines ;

U, vibrements divins, enchantements d'Armide,
Transports délirants laissant le cerne viride
Que l'alchimie imprime aux yeux des amants ;

O, courroux suprême, ô clameurs indignées,
Silences traversés des salles consacrées.
— O l'Oméga mortel des juges sorbonnants !

Prudentes anonymes. »

Aux vaticinations de M. Faurisson, j'avoue préférer cette médiocre rimaillerie. A l'instant des *vibrements divins* du coït, les *Prudentes* ont beau perdre la tête au point de ne savoir plus combien elles ont de pieds — ou alors, il leur faut une diérèse (*Zy-eux*) — je n'arrive pas à leur en vouloir : après M. Faurisson, ces *Polissonneries*, qui se donnent pour telles, ont au moins le mérite de ne pas trahir l'esprit de Rimbaud ; de reprendre son thème selon son esthétique, avec d'autres images.

APRÈS-DERNIÈRE
ET TOUTE PETITE RÉCRÉATION

J'apprends qu'à la dernière séance de l'OULIPO (ouvroir de littérature potentielle) le poète Georges Perros a présenté un Sonnet des Voyelles *écrit selon l'hypothèse de travail suivante :* E blanc *reste en blanc, parce que la lettre-voyelle* E *ne doit pas apparaître dans les quatorze vers. Essayez. envoyez vos sonnets à l'OULIPO.*

EN GUISE DE POSTFACE

Presque à chaque époque, il en advient en littérature comme en art : on admire un principe faux, une certaine façon, une certaine manière qui sont en vogue. Les cerveaux vulgaires s'acharnent à se les approprier et à les appliquer. L'homme de sens les perce à jour et les dédaigne ; il reste en dehors de la mode. Au bout de quelques années, le public aussi y voit clair et apprécie la farce à sa valeur. Il s'en moque, et le fard tant admiré de toutes ces œuvres maniérées tombe comme le mauvais plâtre d'un mur ; et comme de celui-ci, on ne s'en occupe plus.

Schopenhauer, *Écrivains et style*, 1858.
Rimbaud avait alors quatre ans.

TABLE

DU MÊME AUTEUR

nrf

L'ENFANT DE CHŒUR, nouvelle édition, 1947.
PEAUX DE COULEUVRE, tomes I, II, III, 1948.
RIMBAUD, *avec* Yassu Gauclère, nouvelle édition augmentée, *Les Essais*, 1950.
SIX ESSAIS SUR TROIS TYRANNIES, 1951.
HYGIÈNE DES LETTRES, I, 1952.
HYGIÈNE DES LETTRES, II : Littérature dégagée, 1955.
HYGIÈNE DES LETTRES, III : Savoir et goût, 1958.
HYGIÈNE DES LETTRES, IV : Poètes ou faiseurs ?, 1966.
HYGIÈNE DES LETTRES, V : C'est le bouquet !, 1967.
LE MYTHE DE RIMBAUD, 1952-1961.
Tome I : Genèse du Mythe.
Tomme II : Structure du Mythe (nouvelle édition augmentée).
Tome V : L'Année du Centenaire (nouvelle édition augmentée sous presse).
LE PÉCHÉ VRAIMENT CAPITAL, 1957.
L'ENNEMIE PUBLIQUE, 1957.
LE NOUVEAU SINGE PÈLERIN, 1958.
SUPERVIELLE, *Bibliothèque idéale*, 1960.
BLASON D'UN CORPS, 1961.
REY-MILLET, 1962.
COMPARAISON N'EST PAS RAISON *(La crise de la littérature comparée)*, 1963.
PARLEZ-VOUS FRANGLAIS ?, *Coll. Idées*, 1964.
CONNAISSONS-NOUS LA CHINE ?, *Coll. Idées*, 1964.
CONFUCIUS, *Coll. Idées*, 1966.

Traductions

T. E. Lawrence : LETTRES, *avec* Yassu Gauclère, 1949.
T. E. Lawrence : LA MATRICE, 1955.
T. E. Lawrence : LES TEXTES ESSENTIELS, 1965.

En préparation

LE MYTHE DE RIMBAUD :
Tome III. Le mythe de Rimbaud dans le monde slave et communiste.
Tome IV : Succès du Mythe.
PEAUX DE COULEUVRE, tomes IV et V.

Chez divers éditeurs

CŒURS DOUBLES, spectacle en dix tableaux avec illustrations par Éric de Nemès, Alexandrie, le Scarabée, 1948.
PROUST ET LA CRISE DE L'INTELLIGENCE, Alexandrie, le Scarabée, 1945 *(épuisé)*.
CINQ ÉTATS DES JEUNES FILLES EN FLEUR, H. C.
MADE IN U.S.A. *(écrits en anglais)*, H. C.
CONFUCIUS, troisième édition revue, Club français du livre, 1962 *(épuisé)*.
L'ORIENT PHILOSOPHIQUE, trois tomes, C.D.U., 1957-1959.
LE BABÉLIEN, trois tomes, C.D.U., 1960-1962.
LE MYTHE DE RIMBAUD EN POLOGNE, C.D.U., 1963.
LE MYTHE DE RIMBAUD EN RUSSIE TSARISTE, C.D.U., 1964.
L'ÉCRITURE, Delpire, 1961.
LE JARGON DES SCIENCES, Hermann, 1966.
LES JÉSUITES EN CHINE, Julliard, 1966.

Traduction

LA MARCHE DU FASCISME, de G.-A. Borgese, Montréal, l'Arbre, 1943.

COLLECTION « LES ESSAIS »

Abellio Raymond : *La Bible* (2 tomes).
Adorno Theodor W. : *Essai sur Wagner.*
Alain-Peyrefitte R. et M. : *Le Mythe de Pénélope.*
Arendt Hannah : *Essai sur la Révolution.*
Arland Marcel : *Marivaux.*
Aron Raymond : *Polémiques.*
Audisio Gabriel : *Ulysse.*
Bataille Georges : *L'Expérience intérieure.*
Bataille Georges : *Le Coupable.*
Battistini Yves (traduct. de) *Trois Contemporains, Héraclite, Parménide, Empédocle.*
Beaujon Edmond : *Némésis ou la limite.*
Beauvoir Simone de : *Pyrrhus et Cinéas.*
Beauvoir Simone de : *Pour une morale de l'ambiguïté.*
Beauvoir Simone de : *Privilèges.*
Béhar Henri : *Étude sur le théâtre dada et surréaliste.*
Belaval Yvon : *La Recherche de la poésie.*
Belaval Yvon : *Les Philosophes et leur langage.*
Belaval Yvon : *Les Conduites d'échec.*
Belaval Yvon : *Le Souci de sincérité.*
Bellour Raymond : *Henri Michaux ou une mesure de l'être.*

Benda Julien : *Essai d'un discours cohérent sur les rapports de Dieu et du monde.*
Benedict Ruth : *Échantillons de civilisations.*
Berdiaev Nicolas : *Les Sources et le Sens du communisme russe.*
Berl Emmanuel : *Le Bourgeois et l'Amour.*
Bickel Lothar : *Le Dehors et le Dedans.*
Bost Pierre : *Un an dans un tiroir.*
Brunner Constantin : *L'Amour.*
Butor Michel : *Essais sur les Essais.*
Caillois Roger : *Le Mythe et l'Homme.*
Caillois Roger : *L'Homme et le Sacré.*
Camus Albert : *Le Mythe de Sisyphe.*
Camus Albert : *Noces.*
Camus Albert : *L'Été.*
Camus Albert : *L'Envers et l'Endroit.*
Carmichael Joel : *La Mort de Jésus.*
Carrouges Michel : *André Breton...*
Cecchi Emilio : *Poissons rouges.*
Champigny Robert : *Sur un héros païen.*
Chamson André : *Fragments d'un* Liber veritatis.
Cioran E. M. : *Précis de décomposition.*
Cioran E. M. : *La Tentation d'exister.*
Cioran E. M. : *Histoire et Utopie.*
Cioran E. M. : *Syllogismes de l'amertume.*
Cioran E. M. : *La Chute dans le temps.*
Delhomme Jeanne : *Temps et Destin.*
Dhôtel André : *Rimbaud et la Révolte moderne.*
Dieguez Manuel de : *L'Écrivain et son langage.*
Drieu La Rochelle Pierre : *L'Europe contre les patries.*
Eliade Mircea : *Le Mythe de l'éternel retour.*
Eliade Mircea : *Mythes, Rêves et Mystères.*
Eliade Mircea : *Images et Symboles.*
Eliade Mircea : *Naissances mystiques.*
Eliade Mircea : *Techniques du Yoga.*
Eliade Mircea : *Méphistophélès et l'Androgyne.*
Elsen Claude : *Homo eroticus.*
Enzensberger Hans Magnus : *Politique et crime.*
Etiemble et Gauclère Yassu : *Rimbaud.*
Etiemble : *Le Péché vraiment capital.*
Etiemble : *Comparaison n'est pas raison.*

Etiemble : *Le Sonnet des Voyelles.*
Freud Sigmund : *Moïse et le Monothéisme.*
Freud Sigmund : *Délire et Rêves dans la* Gradiva *de Jensen.*
Freud Sigmund : *Trois Essais sur la théorie de la sexualité.*
Freud Sigmund : *Ma vie et la psychanalyse.*
Freud Sigmund : *Le Rêve et son interprétation.*
Freud Sigmund : *Métapsychologie.*
Freud Sigmund : *Nouvelles Conférences sur la psychanalyse.*
Freud Sigmund : *Un souvenir d'enfance de Léonard de Vinci.*
Freud Sigmund : *Essais de psychanalyse appliquée.*
Freud Sigmund : *Le Mot d'esprit et ses rapports avec l'inconscient.*
Germain Charles : *Court Traité sur la noblesse.*
Godel Roger : *Essais sur l'expérience libératrice.*
Grenier Jean : *Essai sur l'esprit d'orthodoxie.*
Grenier Jean : *A propos de l'humain.*
Grenier Jean : *L'Existence malheureuse.*
Groethuysen Bernard : *Mythes et Portraits.*
Groethuysen Bernard : *J.-J. Rousseau.*
Guterman N. et Lefebvre H. : *La Conscience mystifiée.*
Heidegger Martin : *Qu'est-ce que la métaphysique?*
Heidegger Martin : *Essais et Conférences.*
Huizinga J. : *Homo ludens.*
Huizinga J. : *Erasme.*
Jung C. G. : *Un mythe moderne.*
Jung C. G. : *Dialectique du moi et de l'inconscient.*
Jünger Ernst : *L'État universel.*
Jünger Ernst : *Le Mur du temps.*
Kahnweiler Daniel-Henry : *Confessions esthétiques.*
Kierkegaard Soeren : *Traité du désespoir.*
Kierkegaard Soeren : *Le Concept de l'angoisse.*
Kierkegaard Soeren : *Riens philosophiques.*
Kierkegaard Soeren : *Journal*, I.
Kierkegaard Soeren : *Journal*, II.
Kierkegaard Soeren : *Journal*, III.
Kierkegaard Soeren : *Journal*, IV.
Kierkegaard Soeren : *Journal*, V.

Koyré Alexandre : *Introduction à la lecture de Platon* suivie de *Entretiens sur Descartes.*
Lafont Robert : *Sur la France.*
Lambert Jean : *Un voyageur des deux mondes.*
Larbaud Valery : *Techniques.*
Lefebve M.-J. : *Jean Paulhan.*
Levi Carlo : *La Peur de la liberté.*
Lewis C. S. *Expérience de critique littéraire.*
Lukacs Georges : *La Signification présente du réalisme critique.*
Machado Antonio : *Juan de Mairena.*
Marek Kurt W. : *Notes provocatrices.*
Maury René : *L'Homme mystifié.*
Merleau-Ponty Maurice : *Phénoménologie de la perception.*
Merleau-Ponty Maurice : *Humanisme et Terreur.*
Millepierres François : *Pythagore.*
Milosz Czeslaw : *La Pensée captive.*
Monnerot Jules : *La Poésie moderne et le Sacré.*
Monnerot Jules : *Les faits sociaux ne sont pas des choses.*
Morazé Charles : *La Logique de l'Histoire.*
Mounin Georges : *Avez-vous lu Char?*
Nantet Jacques : *Bataille pour la faiblesse.*
Nimier Roger : *Amour et Néant.*
Olson Charles : *Appelez-moi Ismaël.*
Paz Octavio : *L'Arc et la Lyre.*
Petit Jean A.-M. : *Le Moderne et son prochain.*
Préposiet Jean : *Spinoza et la liberté des hommes.*
Quilliot Roger : *La Liberté aux dimensions humaines.*
Robinson Joan : *Philosophie économique.*
Rohmer Charles : *Le Personnage et son Ombre.*
Rostand Jean : *Peut-on modifier l'homme?*
Rostand Jean : *Science fausse et fausses sciences.*
Rostand Jean : *Biologie et Humanisme.*
Russell Bertrand : *Science et Religion.*
Russell Bertrand : *Histoire de mes idées philosophiques.*
Rybak Boris : *Anachroniques.*
Sarraute Nathalie : *L'Ère du soupçon.*
Sartre Jean-Paul : *Baudelaire.*
Schlechta Karl : *Le Cas Nietzsche.*

Simon Émile : *Patrie de l'humain.*
Sournia Jean-Charles : *Logique et Morale du diagnostic.*
Splengler Oswald : *L'Homme et la Technique.*
Strauss Leo : *De la tyrannie.*
Tokei Ferenc : *Naissance de l'élégie chinoise.*
Toynbee Arnold : *Guerre et Civilisation.*
Unamuno Miguel de : *L'Essence de l'Espagne.*
Wilson Colin : *L'Homme en dehors.*
Wittgenstein Ludwig : *Le Cahier bleu et le Cahier brun.*